SYLVIA DAY

LA NUIT LEUR APPARTIENT

TOME 2

SYLVIA DAY

LA NUIT LEUR APPARTIENT

TOME 2 :
LA DÉSIRER, C'EST LA CONDAMNER

Traduit de l'anglais (États-Unis)
par Michelle Charrier

DU MÊME AUTEUR CHEZ LE MÊME ÉDITEUR

La nuit leur appartient
Tome 1 : *Les rêves n'ont jamais été aussi brûlants*

Titre original
Heat of the Night

118, avenue Achille Peretti
CS 70024 – 92521 Neuilly-sur-Seine Cedex

www.michel-lafon.com

À ma famille, qui m'a soutenue de toutes ses forces dans mon travail sans jamais se plaindre du temps que je consacrais à l'écriture.
Il n'est pas facile pour un écrivain de publier neuf livres en un an,
mais mes proches en ont payé le prix avec grâce et amour.
Merci d'avoir embrassé mon rêve et de vous y être adaptés.
Les mots me manquent pour exprimer ce que votre aide représente à mes yeux.
Vous me donnez la force.
Je vous aime.

Prends garde à la Clé qui ouvre la Serrure
et révèle la Vérité !

chapitre 1

Le Crépuscule

La fléchette de Connor Bruce suivit exactement la trajectoire prévue jusqu'à sa cible.

L'attaque n'avait duré qu'une fraction de seconde, mais le tranquillisant mettait un peu plus longtemps à agir. Le garde réussit à arracher le projectile et à tirer son glaive, puis ses yeux se révulsèrent tandis qu'il s'effondrait à terre en une petite flaque de tissu rouge.

– Désolé, mec, murmura Connor en se penchant sur lui pour prendre son communicateur et son épée.

Au réveil, sa victime aurait juste la vague impression de s'être à moitié endormie, peut-être d'ennui.

Il se redressa en sifflant un pépiement étouffé pour prévenir le lieutenant Philippe Wager que tout s'était passé comme prévu. Le chant d'oiseau qui lui répondit l'informa que les autres gardes répartis autour du Temple avaient également été neutralisés. Quelques instants plus tard, ses onze hommes l'entouraient. Leur uniforme de combat gris foncé

– tunique sans manches près du corps et ample pantalon assorti – ne différait du sien que par la couleur, car les capitaines de l'Élite portaient du noir pour signaler leur grade.

— Vous allez voir à l'intérieur des choses stupéfiantes, prévint Connor.

Son glaive jaillit avec un sifflement du fourreau attaché dans son dos.

— Concentrez-vous sur la mission. Les Anciens ont ramené le capitaine Cross jusqu'au Crépuscule alors qu'il se trouvait sur le plan d'existence des Rêveurs ; il faut absolument découvrir comment ils s'y sont pris.

— Bien, capitaine.

Wager pointa un émetteur vers le portail rouge massif, le *torii* qui marquait l'entrée du complexe. Les impulsions de l'appareil allaient brouiller momentanément le fonctionnement de l'unité vidéo chargée d'enregistrer le passage de tous les visiteurs. Connor contemplait la voûte d'entrée avec un mélange bouillonnant d'horreur, d'égarement et de colère. La structure était assez imposante pour attirer le regard de n'importe quel Gardien et l'obliger à lire l'avertissement qui y était gravé en langage ancien : *Prends garde à la Clé qui ouvre la Serrure !*

Il avait passé des siècles à traquer avec ses hommes le Rêveur qui, s'il fallait en croire la prophétie, accéderait un jour à leur monde par l'intermédiaire du rêve et les détruirait tous. Celui qui les verrait tels qu'ils étaient, et pas comme de simples créations de son imagination nocturne : des êtres bien réels vivant dans le Crépuscule – où l'assoupissement emportait l'esprit humain.

Mais Connor en personne avait rencontré la Clé de sinistre mémoire ; elle n'avait rien à voir avec le spectre de la fatalité ni de l'annihilation. C'était une blonde vétérinaire, mince mais curviligne, aux grands yeux noirs et à l'immense compassion.

Mensonges que tout cela. Que toutes ces années gâchées. Heureusement pour la Clé – également connue sous le nom plus banal de Lyssa Bates –, le capitaine Aidan Cross, guerrier de légende et meilleur ami de Connor, l'avait trouvée le premier. Il l'avait trouvée, en était tombé amoureux, et s'était enfui avec elle sur le plan des mortels.

La mission de Connor consistait maintenant à percer les secrets des Anciens dans le Crépuscule, et tout ce qu'il avait besoin de savoir l'attendait derrière les murailles du Temple.

Allons-y, articula-t-il sans un son, en remuant exagérément les lèvres.

Les six hommes choisis s'engouffrèrent par le portail exactement à l'heure prévue, se séparèrent aussitôt en deux groupes, puis traversèrent sans ralentir la cour centrale dallée de pierre, en serpentant entre les colonnes d'albâtre cannelées qui encadraient l'espace dégagé.

La brise légère leur apportait les parfums des fleurs et de l'herbe des prés alentour. À cette heure, le Temple était interdit au public, car les Anciens méditaient en privé. C'était le moment idéal pour s'introduire dans le complexe et voler tout ce qui pouvait s'y trouver, informations et secrets mêlés.

Connor s'engagea le premier dans le *haiden*, leva trois doigts, agita la main vers la droite puis obliqua sur la gauche. Trois Guerriers d'élite obéirent à son ordre muet en contournant par la droite la vaste salle circulaire.

Les deux groupes se déplaçaient dans la pénombre, parfaitement conscients que le moindre faux pas permettrait aux unités vidéo de repérer leur intrusion. Le centre de la pièce était occupé par des rangées de bancs semi-circulaires tournés vers la colonnade d'entrée qu'ils venaient de parcourir. Des bancs répartis sur plusieurs niveaux, et si nombreux que les Gardiens avaient depuis longtemps perdu le compte des Anciens sortis de leurs rangs pour les diriger. Cet endroit était le cœur de leur monde, la source des lois et de l'ordre – le siège du pouvoir.

Une fois les six hommes rassemblés dans le couloir central menant au *honden*, Connor s'arrêta. Ses subordonnés attendirent ses ordres. Le corridor de gauche desservait les quartiers d'habitation des Anciens, celui de droite une cour de méditation reculée.

C'était dans le passage central, où ils se trouvaient, qu'il se passait des choses bizarres. Depuis sa première – et unique – incursion au Temple, Connor y était préparé. Les autres, non.

Il les fixa, un sourcil levé, les exhortant en silence à se rappeler l'ordre qu'il leur avait donné un peu plus tôt. De sombres hochements de tête lui répondirent, et il repartit.

Lorsqu'une vibration naquit sous les pieds des intrus, ils baissèrent les yeux. La pierre se mit à scintiller puis devint translucide, comme si elle s'était désintégrée et qu'ils allaient tomber dans l'infini étoilé qui venait d'apparaître. D'instinct, Connor tendit la main vers le mur, les dents serrées à se briser. La vue de l'espace se fondit en un kaléidoscope coloré tournoyant.

– Putain... souffla Wager.

Son supérieur avait dit exactement la même chose la première fois qu'il avait parcouru le couloir. Chaque pas des visiteurs ridait les couleurs changeantes, à croire qu'elles réagissaient à leur présence.

– Dites, c'est réel, ce truc, ou c'est juste une sorte d'hologramme ? demanda le caporal Trent dans un murmure pressant.

Connor leva la main pour rappeler à ses hommes de rester silencieux. Il n'avait aucune idée de ce dont il s'agissait, mais il savait que s'il regardait cette saleté, le tournis lui donnerait envie de vomir.

Ils dépassèrent la bibliothèque privée des Anciens pour gagner la salle de contrôle où l'un d'eux veillait, posté à une grande console – sentinelle isolée perdue dans cet espace immense ceint de murs démesurés tapissés de volumes reliés. Ses pairs l'avaient abandonné là en se retirant pour l'après-midi, comme le voulait la coutume, le condamnant à la fléchette de tranquillisant plantée dans son cou. Connor tira l'Ancien inconscient de côté pour laisser Wager accéder au tableau de commande tactile en forme de croissant.

– Je vais faire tourner les vidéos en boucle pour que vous ne soyez pas enregistrés, annonça le lieutenant.

Il se mit aussitôt au travail, le dos droit, les jambes légèrement écartées, tout entier plongé dans sa tâche. Ses longs cheveux noirs et ses yeux gris orageux lui donnaient un air rebelle assorti à sa réputation de franc-tireur. À cause de son imprévisibilité, il était resté sous-lieutenant des siècles de plus qu'il ne l'aurait dû, mais Connor l'avait récemment promu lieutenant, même si ça n'avait plus d'importance : ils étaient à présent des insurgés et avaient quitté les régiments autorisés de l'Élite pour commander la faction renégate.

Persuadé que Wager était parfaitement capable de prendre en charge la partie informatique des recherches, Connor posta deux hommes à l'entrée de la salle, puis partit fouiller les locaux avec les deux derniers. Il s'était récemment introduit dans le Temple, accompagné en tout et pour tout de Wager, mais son coup de force avait obligé les Anciens à étoffer la garde, ce qui l'avait en retour obligé à attaquer le complexe en masse. Ils étaient douze – six dehors, six dedans.

Il progressait dans le couloir d'un pas vif, ses subordonnés sur les talons, évitant de regarder le kaléidoscope qui tournoyait toujours aussi vite. Les lucarnes du plafond les inondaient de lumière, et la porte vitrée au bout du passage leur offrait une vision ensoleillée de la cour de méditation.

Lorsqu'ils parvinrent à l'entrée d'une pièce, il fit signe à l'un de ses hommes d'y pénétrer.

– Tout ce qui sort de l'ordinaire.

Le soldat acquiesça en s'éloignant, le glaive à la main, prêt à servir. Le processus se répéta quelques mètres plus loin, puis Connor poursuivit seul son exploration. La troisième pièce fut donc pour lui.

Il ne s'étonna pas de l'obscurité qui y régnait, puisqu'elle était inoccupée, mais trouva surprenant que son arrivée ne déclenche pas l'éclairage. Seule la lumière du couloir lui permettait de distinguer ce qui l'entourait.

Les chariots de métal alignés le long des murs dégageaient la zone centrale ; il y régnait une vague odeur de médicament ; une lourde porte d'acier verrouillée menait il ne savait où. Ses poils se hérissèrent à cette vue. La partie supérieure du battant était percée d'une vitre épaisse. Mais il n'aurait su dire si elle était censée permettre le regard vers la pièce interdite ou vers l'extérieur. Quoi qu'il en soit, cette porte était un obstacle sérieux, ce qui signifiait qu'elle protégeait quelque chose d'important.

– Qu'est-ce qu'il peut bien y avoir là-dedans ? se demanda tout haut l'intrus.

Il s'approcha du petit panneau de contrôle tactile installé dans un coin et y entra rapidement une série de codes, pressé d'allumer pour voir de quoi il retournait. Il lui fallait un moyen de pression sur les Anciens, et si sa découverte était assez précieuse à leurs yeux, ils feraient bien quelques sacrifices pour la récupérer...

Une des nombreuses commandes prioritaires qu'il venait d'utiliser arracha au tableau de contrôle une succession de bips fiévreux. Ce qui l'entourait s'illumina lentement.

– Super !

Connor pivota, souriant, pour examiner la petite pièce dallée de pierre, aux murs blancs et nus.

Le sifflement aigu de la décompression hydraulique l'arrêta net, oscillant sur ses talons. Sans savoir comment, il avait aussi ouvert la fameuse porte, ce qui allait lui faciliter la tâche.

Les événements qui suivirent devaient rester à jamais gravés dans sa mémoire. Un rugissement de fureur et de peur mêlées retentit, puis la lourde porte s'ouvrit en grand, dans une telle explosion de violence qu'elle alla s'incruster dans le mur.

Connor avait tiré son glaive, prêt à se battre – mais pas à affronter l'apparition qui se jeta sur lui : une chose au corps de Gardien, mais aux yeux totalement noirs, sans sclérotique, et aux dents affreusement pointues.

Il se figea, horrifié, mais aussi déconcerté. Il n'existait pas pire crime que de tuer un autre Gardien, et à sa connaissance, personne n'avait commis de meurtre dans le Crépuscule depuis des siècles. Cette pensée retint sa main alors qu'il aurait dû frapper, le livrant à l'impact brutal qui le jeta à terre. Un exploit que personne n'avait encore accompli jusque-là, le géant étant bien trop grand pour ça.

– Putain de merde ! grogna-t-il en s'écrasant sur le dallage avec une force à lui ébranler les os.

La chose était sur lui, un homme de bonne taille à la férocité inexpliquée et qui montrait les dents en se cramponnant comme une bête enragée. Connor roula de côté, puis sur le ventre, pour prendre l'avantage. Une main nouée autour du cou tendu de l'adversaire, il se mit à lui infliger de l'autre des coups de poing violents qui auraient dû l'assommer proprement. Une pommette cassa d'ailleurs sous ses phalanges, le nez se brisa, mais ces blessures ne firent aucun effet à la créature. Le manque d'air non plus.

Au plus profond du Gardien naquit une peur d'une puissance insidieuse. Les yeux noirs débordaient d'une folie tournoyante, des griffes épaisses lui lacéraient la peau des avant-bras... Comment venait-on à bout d'un ennemi dont l'esprit s'était enfui ?

– Capitaine !

Sans détourner le regard de la chose, il roula à nouveau sur le dos, puis tendit le bras au maximum pour la maintenir en l'air par la gorge. Le glaive qui s'abattit en sifflant décalotta le crâne du monstre dans une gerbe de débris répugnants.

– Putain, mais c'était quoi ça ? s'écria Trent, planté juste derrière la tête de son supérieur, son épée à la main.

– J'en sais foutrement rien.

Connor jeta le corps de côté, puis contempla son uniforme avec dégoût, avant de toucher d'un doigt hésitant la crasse dont il était couvert – une épaisse couche noire qui semblait être du sang à moitié putréfié, et en avait en tout cas l'odeur infecte. Son regard se posa ensuite sur le cadavre, intact à partir des sourcils. Des cheveux bruns trop longs entouraient les oreilles et la nuque ; une peau d'une pâleur malsaine couvrait la chair littéralement collée aux os ; les mains et les pieds comportaient de longues griffes épaisses de reptile ; mais le plus effrayant, c'étaient sa gueule béante et ses yeux aveugles d'un noir d'encre, qui transformaient un type maladif en redoutable prédateur.

Il ne portait qu'un ample pantalon blanc sale et déchiré. Le dos de sa main s'ornait de l'inscription « HB-12 », marquée au fer rouge. Un coup d'œil par la porte révéla aux deux intrus une cellule aux parois blindées, tapissée d'une couche de métal imposante creusée d'innombrables griffures.

— Votre pièce est nettement plus intéressante que la mienne, lança Trent avec une nonchalance contredite par sa voix tremblante.

Connor haletait, moins à cause de l'effort physique que de la colère.

— Voilà exactement le genre de saloperie qui nous a poussés à la rébellion !

Tout le monde ou presque aurait été d'accord pour dire qu'il n'était pas dans la nature du géant, plutôt accommodante, de prendre la tête d'une révolte. Rien de plus vrai. Il avait lui-même du mal à croire qu'il avait sauté le pas. Seulement, les questions se multipliaient, et toutes les réponses qu'on lui avait données jusque-là n'étaient que mensonges. Alors oui, il était du genre à aimer les choses affreusement simples – *le vin, les femmes et la baston,* comme il disait –, mais il n'hésitait pas non plus à prendre ses responsabilités et à agir si nécessaire.

C'était son rôle de protéger les autres, les Rêveurs comme les Gardiens les plus vulnérables. Ses frères et sœurs se comptaient par milliers, tous avec leur propre spécialité. Leurs propres forces. Les plus doux offraient du réconfort aux Rêveurs malheureux ; les esprits joueurs s'occupaient des rêves de sport héroïque ou de fêtes prénatales ; il y avait aussi les Sensuels, les Guérisseurs, les Soigneurs, les Provocateurs... Connor, lui, appartenait à l'Élite. Il tuait les Cauchemars et protégeait son peuple. Y compris des Anciens, s'il le fallait.

— Plus moyen de prétendre qu'on s'est pas introduits dans le Temple maintenant, fit remarquer le caporal.

– Plus moyen, non, admit Connor.

Mais au point où il en était, il ne s'en souciait plus vraiment. À vrai dire, il voulait montrer aux Anciens que leurs secrets n'étaient pas à l'abri. Il voulait les empêcher de se sentir en sécurité. Il voulait leur inspirer autant d'inquiétude et de méfiance qu'il en éprouvait. Ils lui devaient au moins ça, après lui avoir demandé de risquer sa vie pour une cause mensongère.

Wager arriva en courant, deux autres guerriers sur les talons.

– Ouah ! laissa-t-il échapper en dérapant dans les éclaboussures, avant de reprendre l'équilibre. Mais qu'est-ce que c'est que *ça* ?

– J'en sais foutrement rien, répéta Connor, le nez plissé.

– En tout cas, ça pue, reprit Wager. C'est sans doute ce qui a déclenché l'alarme de la console. À mon avis, les renforts sont en route. On ferait mieux de se tirer.

– Tu as trouvé quelque chose d'utile dans la base de données ? s'enquit Connor en prenant une des serviettes posées sur les chariots poussés contre les murs.

Il frotta sa peau lacérée et ses vêtements pour retirer autant que possible l'espèce de sang noir qui s'y était collé.

– J'ai téléchargé ce que j'ai pu. Il m'aurait fallu des siècles pour tout prendre, mais j'ai essayé de m'en tenir aux fichiers les plus curieux.

– On fera avec. Allons-y.

Les six hommes repartirent aussi précautionneusement qu'ils étaient arrivés, leurs sens aux aguets.

Pourtant, aucun d'entre eux ne remarqua l'Ancien dont la robe gris foncé disparaissait si bien dans l'ombre.

Il demeura immobile. Silencieux et invisible. Souriant.

chapitre 2

— Où est le lieutenant Wager ? demanda Connor en parcourant du regard la vaste caverne souterraine où la faction rebelle du Crépuscule avait installé son quartier général.

Au-dessus des insurgés s'alignaient des centaines de minuscules écrans vidéo consacrés à des « films » différents, les scènes tirées des esprits ouverts des « médiums ». Ces Rêveurs-là accédaient au Crépuscule à l'état d'éveil, même s'ils n'étaient pas pleinement conscients, et ne comprenaient pas vraiment ce qui leur arrivait.

Il était en effet possible d'induire la pensée subconsciente par ce que les humains appelaient l'« hypnose ». Enfin peu importait le nom du processus, tous ceux qui y étaient soumis atterrissaient systématiquement dans cette caverne. C'était là que les Anciens veillaient sur eux afin d'empêcher les Cauchemars d'utiliser leur subconscient pour se rendre sur le plan des mortels.

— Il est au fond, capitaine, répondit le Guerrier d'élite qui montait la garde devant le lac, seule issue physique de la grotte.

Connor hocha la tête, fit volte-face et s'engagea d'une démarche élastique dans le long corridor aux parois de pierre taillé au cœur de la montagne. Le passage avait le don de désorienter les visiteurs car il semblait s'étirer à l'infini, encadré de milliers d'ouvertures voûtées identiques derrière lesquelles se devinaient des rangées de gros tubes de verre, occupés par des Anciens en formation plongés dans une sorte de stase. Les rebelles ignoraient de qui il s'agissait et pourquoi ils étaient conservés de cette manière.

Connor trouvait ça sinistre. Quand il s'était aperçu qu'il avait vécu des siècles sans rien savoir de son monde ni de ses dirigeants, la découverte l'avait secoué. Cela le rendait malade de constater à quel point il s'était montré borné quand Aidan l'avait prévenu de se méfier davantage de toutes ces choses qui restaient inexpliquées. Il avait si longtemps refusé de voir ce qui inquiétait son meilleur ami...

L'écho rythmé de ses pas nerveux l'accompagnait dans le boyau, où les bruits de la grande caverne ne tardèrent pas à s'évanouir. On ne pouvait malheureusement la qualifier de « grande » qu'en la comparant au reste du complexe.

Celui-ci était de taille réduite, car conçu pour seulement trois Anciens en formation. Les écrans des médiums et une console en demi-lune encombraient plus qu'assez la grotte principale, d'où un unique Gardien pouvait également surveiller la pièce voisine occupée par les faisceaux – ces rayons de lumière mouvants représentant les flux de pensée subconsciente.

Connor renifla. Il devait bien admettre, pour la millionième fois, qu'il comprenait mal le concept même du Crépuscule. Des siècles plus tôt, à l'Académie de l'Élite, Aidan avait harcelé leur professeur pour savoir d'où ils venaient et où ils se trouvaient à présent. On leur avait donné une explication très simple en leur conseillant de penser au Crépuscule comme à une pomme au cœur percé par un raccourci spatial, un trou de ver. Mais, au lieu de sortir de l'autre côté du fruit, les Anciens s'étaient débrouillés pour y laisser les Gardiens en suspens, dans une poche spatio-temporelle qu'ils appelaient le Crépuscule. Connor, lui, appelait ça du charabia.

– Wager ! rugit-il en pénétrant dans une petite pièce.

Le lieutenant, installé devant une console qu'il contemplait d'un air fasciné, sursauta et lui jeta un regard noir.

– Vous m'avez foutu une de ces trouilles !

– Désolé.

– Vous ne l'êtes pas.

Connor sourit.

– Non, c'est vrai. J'ai eu ma dose de trouille aujourd'hui. Chacun son tour.

Wager se leva en secouant la tête, puis étira son long corps osseux.

– Ça fait plaisir de vous voir de bonne humeur.

Il croisa les bras, les jambes légèrement écartées. C'était un bel homme, très séduisant, dans le genre « mauvais garçon », s'il fallait en croire les Gardiennes.

Les femmes... Toujours à chercher les problèmes.

– Pourtant, il n'y a pas franchement de quoi. J'ai été attaqué par un monstre, mon meilleur ami s'est enfui avec la Clé, et j'ai besoin d'une bonne partie de jambes en l'air.

Wager éclata de rire, la tête rejetée en arrière.

– Je suis prêt à parier que vous manquez aussi à ces dames. Il paraît qu'elles écrivent des poèmes sur votre endurance et qu'elles comparent leurs expériences dans les soirées entre filles.

– Mais non.

– Mais si. Morgane vous appelle « le nouvel Odin au tout-puissant gourdin ».

Connor sentit le rouge lui monter aux joues et, embarrassé, passa la main dans ses cheveux blonds un peu trop longs.

– C'est des conneries. Elle ne te dirait jamais un truc pareil.

Wager haussa un sourcil.

– Morgane ?

L'image de la mince et joueuse Gardienne aux yeux sombres s'imposa à l'esprit de Connor, dont les lèvres s'étirèrent en un sourire de regret.

– Bon, d'accord, elle pourrait.

– Cross est parti, vous êtes en exil... Il doit y avoir un paquet de cœurs brisés.

– Toi aussi, tu as du succès.

– J'ai mes charmes, reconnut Wager avec nonchalance.

– Quand j'attends qu'Aidan contacte le Crépuscule, il m'arrive de regarder les faisceaux des Rêveurs, au sommet de la pente, et d'avoir très, très envie de me jeter dedans, ne serait-ce que pour une demi-heure.

La gaieté de Wager se fondit aussitôt en un sérieux intense, ce qui faisait de lui un si bon guerrier.

— À quoi ressemble le faisceau du capitaine ? Il s'est enfin éclairci ?

— Non.

Connor se gratta la nuque.

— Il est toujours aussi trouble. À mon avis, c'est parce qu'il aboutit dans cette plaine déserte, et non dans la vallée.

Le subconscient de la plupart des Rêveurs les emportait jusqu'à la vallée des Rêves. Ils entraient en contact avec les habitants du Crépuscule par l'intermédiaire des larges faisceaux dorés qui s'élevaient de terre pour plonger dans les cieux brumeux, où ils s'évanouissaient en altitude. Les rayons lumineux des pensées subconscientes s'étiraient à perte de vue.

— À mon avis, c'est une des manifestations du problème, pas sa cause.

Comme son supérieur arquait le sourcil, Wager poursuivit :

— Nous sommes physiologiquement différents des humains. Je me demande si notre cerveau ne fonctionne pas sur une autre longueur d'onde. Ça expliquerait que le faisceau du capitaine Cross se connecte à un endroit différent du Crépuscule et nous parvienne avec une intensité moindre.

Lorsqu'Aidan rêvait, il se présentait à ses pairs sous forme de faisceau bleu neigeux. Il leur semblait regarder une télé mal réglée, alors que les faisceaux des autres dormeurs étaient assez transparents pour évoquer un simple voile d'eau.

— Très bien.

Connor soupira.

— On dirait que de nouvelles possibilités s'offrent à nous.

— En effet.

— Le caporal Trent m'a dit que tu avais du nouveau ?

— Oui.

Wager fit jouer les muscles de ses épaules afin de les décontracter. Les poils de Connor se hérissèrent.

— Laisse-moi deviner : mauvaises nouvelles.

— Dans les données tirées des fichiers téléchargés au Temple, j'ai trouvé une référence à un certain « HB-9 ».

— L'espèce de monstre qui m'a attaqué portait la marque « HB-12 ».

— J'ai vu.

Les lèvres du lieutenant se pincèrent.

— Malheureusement, le fichier relatif au projet HB est incomplet, à cause de l'interruption du chargement.

— Eh merde, ragea Connor. Le *projet HB* ? Qu'est-ce que ça veut dire ?

— Ça veut dire que votre monstre faisait partie d'un programme plus vaste, même si je n'arrive pas à déterminer à quel point.

— Putain.

Le géant aurait volontiers tapé sur quelque chose.

— S'il y a plusieurs de ces tarés, on est mal.

— Je ne vous le fais pas dire.

— Il faut prévenir Aidan.

— Oui, acquiesça Wager. Et comme il ne se rappelle pas ce que vous lui dites dans ses rêves, vous allez devoir le faire en personne.

— *Hein ?* fit Connor, incrédule. T'es malade ?

— Vous avez vu une de ces choses, lui signala son subordonné. Vous l'avez même combattue. C'est un avantage certain. Trent est le seul autre Guérrier d'élite à pouvoir en dire autant, et vous savez comme moi qu'il n'est pas prêt pour une telle mission.

Connor lâcha un grognement, puis se mit à faire les cent pas dans la petite pièce aux parois rocheuses.

– Réfléchissez, capitaine, continua Wager. À part vous, qui pourrait expliquer au capitaine Cross à quel point la situation est grave ? Je ne vois pas.

– Toi, tu pourrais.

Le lieutenant se figea, puis se racla la gorge.

– Je vous remercie, capitaine. J'apprécie le compliment à sa juste valeur, vous le savez, mais on a besoin de moi ici pour étudier les fichiers récupérés dans la base de données. Par ailleurs, le capitaine Cross et vous formez une équipe à la dynamique particulière. Pendant des siècles vous avez maintenu l'Élite au sommet de sa forme ; grâce à vous, son moral est resté d'acier et ses pertes ont été réduites. Et puis vous êtes amis... Dans un nouveau monde, confrontés à un potentiel nouvel ennemi, ce seront autant de chances mises de votre côté.

– C'est une mauvaise idée de séparer de la troupe l'officier le plus gradé. Ça ne me plaît pas. Mais alors pas du tout.

Connor jeta un coup d'œil à l'Ancien en formation qui dormait, oublieux de tout, dans le tube de verre le plus proche. Un brun à l'air très jeune – sans doute guère plus de vingt ans –, la tête basse, le menton sur la poitrine mais « debout », alors qu'aucun dispositif ne le maintenait en position verticale.

– Ça ne me plaît pas non plus, mais les faits sont là : je suis le plus à même d'exploiter au maximum la base de données, vous êtes le plus qualifié pour travailler avec Cross. Inverser les rôles serait entamer les deux missions avec un handicap et on ne peut se le permettre.

– Je le sais foutrement bien.

Connor se passa furieusement les mains dans les cheveux.

– Je sais que tu as raison, mais rien que l'idée me hérisse.

– Je comprends. Je sais que je ne fais qu'exprimer tout haut ce que vous pensez tout bas. À vrai dire, j'aimerais me charger de cette mission...

Wager sourit, ses yeux gris se teintant d'ironie.

– Je serais ravi de mettre la main sur une certaine Rêveuse...

– Oublie.

Le sergent haussa les épaules.

– ... Mais c'est vous qui devriez partir. Je suis parfaitement capable de gérer les choses en votre absence.

– Je sais.

Le géant soupira.

– Ça fait longtemps que tu aurais dû être promu.

– Je n'en suis pas sûr, répondit le lieutenant avec calme. Mes émotions prennent bien trop souvent le pas sur ma raison. Ça commence à s'arranger, mais il aura fallu quelques siècles.

Connor se tourna vers le passage voûté.

– Je vais parler aux autres. Toi, trouve-moi un médium dans le sud de la Californie.

– Capitaine ? le rappela Wager alors qu'il allait sortir.

– Oui ?

– Pour le retour...

Les dents serrées, Connor l'interrogea du regard.

– J'ai découvert quelque chose. Quand un Gardien chevauche physiquement le flux des pensées subconscientes d'un humain, il laisse derrière lui une piste repérable, une sorte de «fil» dont on peut se servir pour le ramener.

– C'est ce que les Anciens ont fait avec Aidan ?

– Sans doute. Si nécessaire, on pourra aussi vous ramener de cette manière. Mais... le processus endommage le médium.

– *Endommage* ?

– C'est fatal aux humains.

Les bras croisés, le lieutenant se planta plus fermement sur ses pieds, une posture annonciatrice de mauvaises nouvelles, que Connor avait appris à reconnaître.

– Attaques, cardiomyopathie dilatée... une «mort subite» les attend.

– Et merde.

Connor tendit la main vers le seuil de la pièce et s'y adossa.

– Voilà pourquoi ce n'est pas un moyen viable de circuler entre les deux mondes.

– À mon avis, c'est même ce qui nous a empêchés d'émigrer, y compris en faible nombre, répondit Wager. Il faudrait laisser des gardes ici, un bataillon minimum, pour contenir les Cauchemars qui arrivent par le Portail et les empêcher de se servir des faisceaux de la vallée, mais personne n'accepterait indéfiniment une affectation pareille...

– Or on ne pourrait pas relever ces hommes, parce que les allers-retours entre les plans d'existence tueraient des milliers de médiums.

– Voilà.

Tous les Gardiens étaient conscients de leurs responsabilités. Leur monde natal avait été envahi par les Cauchemars, des parasites brumeux et évanescents. Pour leur échapper, les Anciens avaient créé une fissure dans l'espace abrégé et avaient mené leur peuple jusqu'au Crépuscule, un plan situé entre la dimension qu'ils fuyaient et celle des humains. Mais, malgré la barrière formidable qu'ils avaient érigée, le Portail, et les efforts qu'avaient fournis les Guerriers d'élite, les Cauchemars les avaient suivis de près.

– On a merdé en laissant passer les Cauchemars. Et on ne peut résoudre le problème ni en les tuant ni en envahissant leur monde.

Connor hocha la tête, lugubre, puis parcourut la pièce du regard. Son cerveau essayait d'absorber l'idée du départ. Peut-être ne reverrait-il jamais cette caverne... perspective qui l'aurait enchanté quelques minutes plus tôt, mais qui lui donnait maintenant l'impression de partir à la dérive. L'odeur de moisi, l'humidité, la pierre rugueuse sous ses mains... ces sensations ne suffisaient plus à l'ancrer au réel. Il se sentait perdu.

– Je comprends. On ne peut pas tuer autant d'humains.

– Non. Pour des raisons morales, mais surtout de survie. Si on le faisait, on se retrouverait au sommet de leur chaîne alimentaire. L'équilibre de la prédation se modifierait alors dans leur monde, et ils finiraient peut-être par s'éteindre. Or, l'élimination d'un chaînon entier pourrait avoir sur la Terre des effets annihilateurs qui risqueraient de se répandre par la suite dans leur galaxie et au-delà. On assisterait à...

– Ouah! grogna Connor en levant les mains, comme pour se protéger. Cerveau en surchauffe. J'ai compris.

– Désolé.

– C'est bon. On s'en sortira. L'Élite s'en sort toujours.

Se redressant, Connor inspira à fond et se concentra sur la tâche à venir.

– Trouve-moi un médium dans le sud de la Californie. Je vais me préparer et expliquer aux autres la situation.

– Oui, capitaine.

Wager salua.

Son supérieur lui rendit son salut, puis tourna les talons.

Fixant les faisceaux de lumière dorée, Connor inspira profondément. Quelques semaines plus tôt, Aidan avait fait le même voyage que celui que le géant s'apprêtait à entreprendre, et s'il avait réussi, alors le géant le pouvait aussi.

Mais Cross n'était pas heureux ici, murmura une petite voix dans sa tête. Connor l'était, lui, et depuis toujours.

– Prêt, capitaine ?

À travers l'écran de verre, le géant observa Wager actionner la console et hocha la tête, sinistre.

– Le faisceau situé sur votre droite appartient à un médium qui se trouve en Californie, à Anaheim, soit à environ une heure de Temecula, où vivent le capitaine Cross et Lyssa Bates.

– Compris.

— Les faisceaux des médiums ne fonctionnent pas de la même manière que ceux des autres Rêveurs.

Les traits crispés par la tension, Wager s'adossa à sa chaise. De longues mèches noires s'étaient échappées de sa queue de cheval. Son allure contrastait étonnamment avec sa nature studieuse, car il ressemblait plus à un motard intrépide qu'à un fondu d'informatique.

— Ils sont en mouvement. Vous allez devoir sauter sur l'un d'entre eux et le chevaucher jusqu'au plan d'existence des mortels. Là-bas, votre apparition causera une perturbation, un hoquet temporel.

— Un hoquet ? répéta Connor, les sourcils froncés.

— Oui, un ralentissement important. Une seconde humaine durera une minute entière pour vous. Je ne sais pas exactement quel effet ça vous fera... pas génial, à mon avis, mais si vous vous dépêchez un peu, vous arriverez à filer sans vous faire remarquer. Autrement, les témoins auront l'impression qu'il n'y a personne à un moment donné... et une seconde plus tard, vous serez là, sous leur nez. Ça risque d'être difficile à expliquer, alors à votre place, je ne tenterais pas ma chance.

— Pas de problème. Je me tirerai en vitesse.

— Je reprendrai contact avec vous par l'intermédiaire de vos rêves, exactement comme vous retrouviez le capitaine Cross dans les siens.

Connor leva les deux pouces : c'était le mieux qu'il puisse faire, sa gorge serrée l'empêchant de parler.

Malgré ses nombreux siècles d'existence, Connor ne s'était jamais senti beaucoup plus vieux que le jour où il avait obtenu son diplôme de l'Académie. D'accord, il ne pouvait plus faire l'amour toute la nuit puis réduire les Cauchemars en charpie le lendemain sans avoir l'impression qu'un rouleau compresseur lui était passé dessus, mais c'était plus pour lui un accroc à sa fierté virile qu'un signe de vieillissement.

À cet instant, toutefois, la moindre de ses années pesait sur ses épaules.

Wager expira longuement.

– Je t'admire Bruce. Je crois que je suis plus nerveux que toi.

– Nan, c'est juste que je le cache mieux.

Connor se tourna vers le faisceau qu'il allait emprunter. Son uniforme était immaculé, son glaive attaché dans son dos, il ne pouvait être plus prêt.

– On se revoit de l'autre côté, lança-t-il avant de se jeter dans la lumière.

Des fauves déchaînés lui arrachaient les membres et lui tapaient le crâne contre un rocher.

C'est du moins l'impression qu'eut Connor quand il reprit lentement une vague conscience de lui-même. Il dut rassembler toute son énergie rien que pour lever la tête, et ouvrir les yeux fut presque au-dessus de ses forces. Battant des paupières, il essaya de déterminer où il se trouvait.

Si l'on oubliait les minuscules lumières multicolores qui piquetaient le ciel nocturne, l'obscurité régnait. Une odeur intense, entêtante, lui emplissait les narines. Musc, fumée – un mélange écœurant. Son estomac se contracta puis se souleva. Un étau lui emprisonnait le crâne, il avait mal aux dents et son cuir chevelu le brûlait.

Il était en train de mourir. C'était impossible autrement, on ne pouvait pas se sentir aussi mal et s'en sortir.

Poussé par l'instinct de survie, son cerveau s'engagea laborieusement dans un enchaînement de pensées saccadé.

... *Les témoins auront l'impression qu'il n'y a personne à un moment... et une seconde plus tard, vous serez là, sous leur nez. Ça risque d'être difficile à expliquer...*

Encore fallait-il qu'il y ait quelqu'un à qui expliquer quoi que ce soit. Le faisceau avait plus vraisemblablement conduit Connor droit dans une dimension infernale. La puanteur était telle que le géant était à deux doigts de vomir.

Il réussit à se soulever de terre, péniblement, à s'agenouiller puis à basculer sur ses talons pour s'accroupir. La nuit tournoya follement. Un gémissement lui échappa, tandis que sa main se crispait sur son ventre.

— Putain.

Il promena ses yeux douloureux autour de lui. Les choses se précisaient lentement. Il distingua une fine ligne de lumière qui l'attira, tendit le bras dans cette direction... et tomba lamentablement en avant, s'empêtrant dans une sorte de tissu. Un rideau. Il l'écarta et découvrit une salle immense. Des gens se tenaient près de lui, beaucoup trop près, prisonniers d'une fraction de temps figé.

Connor avait atterri en pleine convention de science-fiction. Un certain nombre de fans étaient d'ailleurs lourdement déguisés, portant des costumes d'extraterrestres ou de robots.

Jetant un coup d'œil par-dessus son épaule, le géant détailla la pièce où il s'était réveillé. Il s'agissait d'une sorte de petite tente artisanale entièrement noire, au sol dur et froid, quoique couvert d'une bâche grossière. Son centre était occupé par une table ronde drapée de noir supportant une boule de cristal. C'était du globe qu'émanaient les lumières réfléchies par ce que Connor savait maintenant être le plafond. Une femme – le médium – était allongée sur une chaise longue, les yeux clos. Sans doute avait-elle été « endormie » par l'homme qui profitait maintenant de sa transe pour se servir dans son porte-monnaie.

Connor laissa échapper un sifflement de dégoût, puis se hissa non sans mal sur ses pieds tout en s'efforçant de ne pas respirer par le nez. Il tira le portefeuille du voleur de la poche arrière de son pantalon et s'empara de tout le liquide qu'il y trouva.

– C'est ça le karma, connard.

Puis il sortit aussi vite que le lui permettaient ses jambes tremblantes. L'air autour de lui bourdonnait de mots infantiles, tandis que les odeurs du monde humain l'assaillaient : arômes artificiels tels que parfums, odeurs de cuisine, relents corporels... Sans trop savoir comment, le guerrier parvint tout de même à traverser la foule.

Dans le Crépuscule et dans le subconscient des Rêveurs, les perceptions sensorielles étaient affaiblies et se réduisaient à leur plus simple expression. Pas dans la réalité. À la sortie, Connor dut marquer une pause, le temps de vomir dans une poubelle.

Cet endroit ne lui plaisait pas. Il se sentait mal et voulait rentrer chez lui. Un chez-lui qu'il aimait et qui lui manquait déjà terriblement.

Néanmoins, il ouvrit les portes de verre du palais des congrès d'Anaheim et s'engagea dans son nouveau monde.

*
**

Vautrée sur le canapé à pleurer toutes les larmes de son corps, Stacey Daniels se savait parfaitement ridicule. Elle aurait dû se réjouir de disposer d'un peu de temps à elle.

– Je devrais prendre rendez-vous chez la pédicure, la manucure et la coiffeuse, se murmura-t-elle.

Elle aurait aussi dû appeler le séduisant chauffeur d'UPS qui livrait les fournitures pharmaceutiques à l'hôpital vétérinaire de Bates où elle travaillait. Le type l'avait draguée pendant toute une semaine, avant de lui donner sa carte avec son numéro de portable en lui glissant un coup d'œil signifiant qu'il ne s'agissait pas de simple politesse commerciale.

– Je pourrais me préparer à une nuit bien méritée de sexe torride sans lendemain.

Elle renifla.

– Je pourrais *vivre* une journée de sexe torride, là, maintenant, merde !

Mais non. Vautrée dans sa misère, elle se désolait parce que son minable d'ex avait enfin emmené leur fils en week-end, comme il aurait dû le faire depuis longtemps. La jeune femme savait que sa réaction était pathétique, voire maladive, mais elle n'y pouvait rien.

Stacey s'enfonça davantage dans le canapé en parcourant les lieux du regard, soulagée de veiller sur le royaume de sa patronne. Qu'aurait-elle fait chez elle, sans Justin ? Elle se serait sentie trop seule. Au moins, chez Lyssa, il y avait des poissons et un chat, même s'il s'agissait du chat le plus abominable du monde, un fauve grincheux qui passait son temps à feuler en battant de la queue. Pour l'instant, toutefois, l'horrible Chamallow se tenait tranquillement assis sur le bras du canapé, fixant Stacey d'un œil mauvais. Malgré tout, elle préférait cette compagnie désagréable à la solitude pure et simple.

Une solitude dont elle avait parfaitement conscience. Un jour, elle avait cessé de se voir comme une femme autonome pour devenir « la maman de Justin » et ne s'était plus définie que comme ça. Ce qui n'était pas sain, sa réaction ce matin-là le prouvait amplement. Elle n'avait aucune idée de comment passer sa journée. Si ce n'était pas triste, ça !

Tu as parfaitement le droit d'être en rogne, lui susurra le petit démon posté sur son épaule.

Elle travaillait comme une bête pour joindre les deux bouts sans recevoir un sou de pension alimentaire, et c'était Tommy qui emmenait pour la première fois Justin faire du ski. C'était Tommy qui était « cool » et qui avait le privilège de voir le visage de Justin s'éclairer d'émerveillement. Tout ça parce qu'un billet de vingt dollars lui avait brûlé les doigts à Reno, un an plus tôt. Il s'était donc empressé de s'en débarrasser en pariant que les Colts arriveraient en finale du championnat de football.

– Il aurait dû me le donner à *moi*, siffla Stacey. Ça m'aurait payé un plein pour aller travailler et entretenir notre enfant à *nous*.

C'était tellement injuste. Elle économisait depuis près de deux ans dans le seul but d'offrir à Justin une escapade à Big Bear, et Tommy la dépouillait de ses espoirs en deux minutes. Comme elle avait été dépouillée de ses espoirs en apprenant qu'elle était enceinte à la fac. *Tu n'as qu'à avorter,* lui avait-il négligemment proposé. *On a toute la vie devant nous... et des années d'études. Tu ne vas quand même pas avoir un bébé maintenant ?*

– Connard, marmonna-t-elle.

Elle avait dû renoncer à ses études et demander les allocations familiales. Tommy s'était contenté de dire que c'était son choix et lui avait souhaité bonne chance. « J'aimerais pas être à ta place, à plus » avait-il conclu. Puis, son diplôme en poche, Monsieur était devenu un scénariste précaire, assez riche pour faire la fête, mais pas pour payer une pension alimentaire. De son côté, Stacey avait accepté une série de petits boulots avant de trouver un travail régulier, bien payé et valorisant à l'hôpital vétérinaire de Lyssa.

La jeune femme tira brutalement un mouchoir en papier de la boîte posée à côté d'elle et se moucha avec vigueur. C'était mesquin de sa part de reprocher à Justin de faire un voyage dont il avait tellement envie, pour la seule raison qu'il ne le faisait pas avec elle. Elle le savait, elle l'admettait, mais ne se sentait pas mieux pour autant.

Un coup de sonnette retentit. Stacey se tourna vers l'entrée, les sourcils froncés. Si elle avait été chez elle, elle l'aurait ignoré, mais, pendant ses mini-vacances en amoureux au Mexique, Lyssa lui avait confié la garde de sa demeure et de ses animaux. Réceptionner d'éventuels colis faisait également partie du job.

Stacey se leva en grommelant puis, quittant la moquette beige apaisante du salon, se dirigea vers le petit couloir dallé de marbre de l'entrée. Chamallow la suivit en crachant ses menaces de félin démoniaque. Il détestait les visites. Bon, il détestait à peu près tout le monde, mais plus particulièrement les inconnus.

Un second coup de sonnette retentit, impatient.

– Une minute ! lança Stacey. J'arrive.

Elle ouvrit la porte.

– Une fille a besoin de...

Sous le porche de Lyssa se trouvait un Viking.

Et il était absolument magnifique.

chapitre 3

Tout comme les protestations de Stacey, les grognements de Chamallow cessèrent brusquement.

Bouche bée, les yeux ronds, la jeune femme contemplait le géant blond qui s'encadrait, au millimètre près, dans la porte d'entrée. Il mesurait un mètre quatre-vingt-dix au moins, la garde d'une épée surmontait son épaule gauche et son torse exhibait des muscles à faire pâlir d'envie Dwayne Johnson, « the Rock », le célébrissime catcheur. Ses bras massifs et puissants tendaient la peau dorée qui les recouvrait. Le Viking portait une tunique noire sans manches à col en V qu'on aurait presque pu croire peinte sur son torse, un pantalon ajusté aux hanches qui s'évasait autour des jambes, et des bottes militaires peu engageantes.

– 'C'que c'est ? murmura Stacey, profondément impressionnée.

Ce type était incroyablement sexy, malgré son déguisement. Un menton ciselé, une bouche à tomber, des sourcils arrogants, un nez sans défauts. À vrai dire, il était en tout point parfait. Enfin, en tout point visible en tout cas. Magnifique, d'une manière difficile à définir. Il avait quelque chose de particulier, une sorte de charisme purement physique, une séduction étrange... Elle n'arrivait pas à mettre le doigt sur ce qu'il possédait de tellement unique, mais elle n'avait jamais vu plus bel homme, jamais.

Il n'était pas beau dans le sens «séduisant», mais plutôt comme pouvait l'être une lande rocailleuse ou la savane. Dur et sauvage. Formidable et très intimidant. Et parce qu'elle était très intimidée, Stacey fit ce qu'elle savait si bien faire.

Elle monta au créneau.

Elle se déhancha, s'appuya au chambranle de la porte et, un grand sourire aux lèvres, lança :

– Salut.

Les yeux bleus éclatants de l'inconnu s'écarquillèrent, puis se plissèrent.

– Bon sang, qui êtes-vous ? demanda-t-il d'une voix grondante, à l'accent aussi délicieux que son attitude était désagréable.

– Moi aussi, je suis ravie de vous rencontrer.

– Vous n'êtes pas Lyssa Bates, continua-t-il.

– Damnation. Qu'est-ce qui a bien pu me trahir ? Les cheveux courts ? Le gros derrière ?

Stacey claqua des doigts.

– Ah non, j'y suis ! Je ne suis pas un super canon au corps de rêve.

La bouche sensuelle frémit. Le Barbare essaya de le cacher, mais elle s'en rendit compte.

– Chérie, tu es canon et bien foutue, mais tu n'es pas Lyssa Bates.

Stacey se toucha le nez, parfaitement consciente de ressembler à Rudolph, le petit renne du Père Noël, les yeux bouffis en plus. Les larmes embellissaient certaines femmes... mais pas elle. Quant à être bien foutue... Pfff! Elle avait eu un enfant. Les choses n'étaient plus exactement comme elles auraient dû, et elle n'avait jamais perdu les cinq derniers kilos de sa grossesse. Pourtant, incapable de trouver une répartie spirituelle à cause du court-circuit qu'avait provoqué le compliment – ou la vanne – de l'inconnu dans son cerveau, elle se contenta de dire :

– Lyssa n'est pas là. Je m'occupe de ses affaires en son absence.

– Et Cross, il est là ? demanda le visiteur en scrutant sans difficulté le couloir par-dessus la tête de Stacey.

– Qui ça ?

Il baissa les yeux vers elle, les sourcils froncés.

– Aidan Cross. Il vit ici.

– Ah... oui, mais si vous croyez qu'il laisserait Lyssa aller quelque part sans lui, vous êtes dingue.

– Ouais.

Quelque chose passa dans le regard fixé sur elle.

Seigneur, peu importe d'où pouvait bien venir Aidan, il fallait absolument qu'elle y prenne des vacances. De toute évidence, le superbe colosse planté en face d'elle venait du même endroit : même accent, même épée fétiche, même pouvoir de séduction.

– Je vais les attendre ici, annonça-t-il en s'avançant.

– Pas question, répondit Stacey sans lui céder le passage.

Le géant croisa les bras.

– Écoute, mon cœur, je ne suis pas d'humeur à plaisanter. Je suis cassé et j'ai besoin de me poser.

– Écoute, beau gosse, rétorqua-t-elle en imitant ses gestes, je ne plaisante pas. Désolée que tu te sentes mal, mais pour moi non plus c'est pas la forme, alors va te poser ailleurs.

Elle le regarda serrer les dents.

– Aidan ne voudrait pas que je reste autre part qu'ici.

– Ah oui ? Il ne m'a pas dit que quelqu'un risquait de venir. Je ne vous connais ni d'Ève ni d'Adam.

– Connor Bruce.

Le Viking tendit une main massive. Après une seconde d'hésitation, elle la prit. La chaleur de la grande paume lui brûla la peau et un frisson remonta le long de son bras. Elle cilla.

– Stacey Daniels.

– Enchanté, Stacey.

Il l'attira contre son torse, la souleva de terre, entra dans la maison et referma la porte dans son dos d'un coup de pied.

– Hé ! protesta-t-elle en essayant de ne pas prêter attention à son odeur délicieuse.

Une odeur musquée, exotique. Mâle aussi. Sexuelle. L'odeur d'un mâle dominant. Elle mourait d'envie d'enfouir son visage dans ce cou robuste pour le respirer à pleins poumons. De nouer les jambes autour de ses hanches pour se frotter contre lui. Franchement bizarre, compte tenu de la colère qu'elle ressentait à son égard.

– Ça pue dehors, se plaignit-il. Je n'y reste pas une minute de plus.

– Mais vous ne pouvez pas entrer comme ça !

– Mais si, je peux.

– Bon, d'accord, vous *pouvez*. Ça ne veut pas dire que vous devez le faire.

Il s'arrêta dans le salon, regarda autour de lui et consentit enfin à la reposer. Il se défit ensuite du fourreau de son épée et l'appuya au mur près de la porte, avant de s'étirer d'une manière qui fit monter l'eau à la bouche de Stacey.

– Je vais me coucher.

– Mais c'est le matin ! protesta-t-elle.

– Et alors ? Pas touche, ajouta-t-il en montrant son épée avant de se diriger vers l'escalier.

– Allez vous faire foutre ! lui lança-t-elle, les mains sur les hanches, en le foudroyant du regard.

L'homme s'immobilisa, une botte sur la marche inférieure. Il baissa les yeux vers les pieds nus de la jeune femme puis les releva lentement, sensuellement, marquant une pause à la jonction de ses cuisses d'abord, sur sa poitrine ensuite, avant de s'attarder sur ses lèvres puis de croiser son regard. Jamais encore, de toute sa vie, la jeune femme ne s'était sentie déshabillée de cette manière. Elle aurait juré qu'il voyait à travers son jean taille basse et son débardeur. Ses seins se gonflèrent, ses mamelons durcirent... Et, comme elle ne portait pas de soutien-gorge – elle ne s'attendait franchement pas à une visite –, il ne put manquer de voir que l'examen auquel il venait de la soumettre avait produit son petit effet.

– Je suis tenté, ma belle...

Cet accent, chaleureux et dense...

– Mais je ne suis pas en état de te faire honneur pour le moment. Redemande-moi au réveil.

– Je ne suis ni votre belle, ni votre cœur, ni

votre chérie, riposta-t-elle en tapant du pied sur la moquette. Et si vous montez cet escalier, j'appelle la police.

Le sourire de l'intrus avait le don de transformer un Viking diablement séduisant en athlète résolument divin.

– Bonne idée. Assure-toi qu'ils amènent leurs menottes... et qu'ils les laissent en partant.

– Ils ne vous laisseront pas, *vous* !

Comment pouvait-elle trouver aussi attirant un type à ce point désagréable ?

– Appelle Aidan, lui conseilla-t-il en montant les marches. Ou Lyssa. Dis-leur que Connor est là. À tout à l'heure.

Stacey se précipita dans l'escalier dans le but de hurler contre l'envahisseur, mais se retrouva à admirer son postérieur – parfait, d'ailleurs. Sa bouche se referma brusquement, et elle s'empressa de gagner la cuisine où elle décrocha le téléphone. Une minute plus tard, une curieuse sonnerie – on aurait dit qu'elle retentissait dans un seau – lui apprit que l'appel arrivait à l'hôtel de Rosarito Beach, au Mexique.

– Allô ?

– Salut Doc.

Stacey s'installa sur un des tabourets du bar, tira un stylo du pot idoine et se prépara à gribouiller sur le carnet à dessin posé près de la base du sans-fil. Elle dut tourner plusieurs pages couvertes de portraits d'Aidan absolument parfaits avant d'en trouver une blanche. La plupart des médecins écrivaient abominablement mal, mais Lyssa, pourtant vétérinaire, était une dessinatrice surdouée.

— Salut Stace, lança cette dernière, manifestement soulagée.

Stacey n'avait toujours pas découvert pourquoi Lyssa était aussi stressée. Après des années de déprime dans un véritable désert sentimental, Aidan était arrivé, et elle s'était enfin épanouie : elle avait pris les quelques kilos qui lui manquaient et avait retrouvé meilleure mine. Mais elle était aussi devenue plus anxieuse... ce que son amie trouvait très inquiétant. Elle soupçonnait Aidan d'en être la cause. Peut-être Lyssa craignait-elle qu'il ne la quitte. Après tout, il l'avait déjà fait un moment donné, avant de lui revenir.

— Ça va, Doc ?

— Très bien. C'est un endroit magnifique.

La tension cédant la place à l'enchantement dans la voix de Lyssa, Stacey écarta les soucis que lui inspirait sa correspondante pour se concentrer sur son propre dilemme.

— Génial. Mais j'ai un petit problème. Est-ce que vous connaîtriez par hasard un certain Connor ?

— *Connor* ?

— Oui. Grand, blond, mal élevé.

— Seigneur... Comment sais-tu à quoi il ressemble ?

Stacey soupira.

— Donc, vous le connaissez. Je ne sais pas si ça me rassure ou si ça me déprime.

— Stacey. Comment sais-tu à quoi ressemble Connor ?

Lyssa s'exprimait à présent sur le ton qu'elle employait pour expliquer aux propriétaires de ses patients que les pauvres bêtes souffraient d'une maladie incurable.

– Parce qu'il est là, Doc. Il a débarqué il y a dix minutes, et il fait comme chez lui. Je lui ai dit d'aller se faire voir ailleurs, mais...

– Non ! Ne le laisse pas s'en aller !

Stacey écarta brusquement la tête de l'appareil et le considéra, les sourcils froncés, en écoutant Lyssa à distance de sécurité, car l'excitation lui avait fait élever la voix.

– C'est le meilleur ami d'Aidan... Il pourrait se perdre... Dis-lui de rester... Allô ? Stacey, tu m'entends ?

– Oui, oui, je suis là, répondit la jeune en reportant le combiné à son oreille tout en soupirant lourdement. Ce type est beau comme un dieu, mais quel con. Autoritaire et arrogant. Malpoli. Chamallow est déjà pénible, alors si je dois supporter deux casse-pieds à la fois...

– Je t'augmenterai, promit Lyssa, cajoleuse.

– Très bien. Mais je crois que je gagne plus que vous, maintenant.

Ce n'était pas vrai, mais les deux femmes savaient pertinemment que Lyssa se montrait d'une générosité excessive question salaire.

– Non, sérieusement, je peux m'en occuper.

À vrai dire, elle avait *envie* de s'en occuper... de très près. Et c'était une partie du problème. Stacey était systématiquement attirée par des types qui ne lui convenaient pas. Systématiquement.

– Ne le prends pas personnellement. Ils sont tous... euh... *abrupts*, là d'où vient Aidan, prévint sa correspondante.

– Et c'est où, exactement ?

Ça faisait des mois que Stacey essayait de le savoir.

– Oh, quelque part en Écosse, je crois.

– Vous ne lui avez toujours pas demandé ?

– Ça n'a pas d'importance. Aidan est parti chercher un pack de bière, mais en revenant, il rappellera pour parler à Connor. Je lui demanderai de toucher deux mots de la politesse à macho-man, d'accord ?

– Super, je suis sûre que ça va le transformer.

Stacey secoua la tête.

– Connor fait une sieste pour le moment. Il se sentait cassé, un truc du genre. Il est arrivé dans une sorte de déguisement, avec une épée, on aurait dit qu'il sortait tout droit d'une convention Star Wars.

– Ah. Merde.

Il y eut une longue pause.

– Il va être malade, Stacey. Pas longtemps, quelques heures, peut-être jusqu'à demain, mais il va avoir de la fièvre et des frissons.

– Ah bon ? Comment est-ce que vous le savez ?

Lyssa était douée, mais il ne fallait pas exagérer. Aucun médecin ne pouvait établir un diagnostic sans avoir vu le patient ou lui avoir parlé.

– Ils ont un problème d'acclimatation après leur vol. Tu sais, un nouveau monde, tout ça...

– Un nouveau monde ?

Lyssa jura tout bas.

– Oui, comme les pionniers découvrant l'Amérique, ce genre de nouveau monde, je ne parlais bien sûr pas d'autres planètes ou de ces trucs de S-F.

– Bien sûr, Doc.

Stacey tapota le carrelage du comptoir avec son stylo.

– Si vous le dites. Et si vous ne buviez que de l'eau minérale au Mexique, hein ? Je crois qu'il y a des trucs pas nets dans celle du robinet.

– Ne t'inquiète pas, je ne suis pas défoncée, répondit Lyssa en riant.

– Mmh... Bon, vous avez quelque chose à me conseiller pour cette espèce de grippe ?

– De l'aspirine, s'il en a besoin. Sinon, laisse-le juste dormir jusqu'à ce qu'il se réveille.

– Ça ne me semble pas trop dur.

– Super. Merci d'être aussi compréhensive. Tu es la meilleure.

Stacey promit de garder le sans-fil à portée de main jusqu'à ce qu'Aidan rappelle, puis raccrocha. Elle resta un long moment immobile sur son tabouret à repasser sa journée dans son esprit, s'attardant sur le moment où elle avait ouvert la porte pour trouver Connor planté sur le seuil. Au moins, ça lui évitait de ne penser qu'à Justin et Tommy, mais elle n'aurait pas dû non plus consacrer tout ce temps à Connor. Elle était en manque, voilà tout. Et pas du tout en train de retomber dans le schéma classique de ses histoires où un mauvais garçon l'attirait irrémédiablement avant de foutre sa vie en l'air.

Elle quitta sa chaise et s'approcha de la table du séjour, couverte de ses manuels ouverts. Car elle avait repris ses études. Treize plus tôt, elle avait suivi des cours d'anglais et d'écriture créative pour devenir écrivain ; aujourd'hui, elle se donnait les moyens d'obtenir le statut de vétérinaire auxiliaire.

Une décision dont elle était satisfaite, tout comme elle était fière de retourner à la fac. Il fallait bien que les rêves gagnent en maturité, de même que les gens. Élever seule un enfant avait modifié le centre de gravité de son existence.

Voilà sur quoi elle devait se concentrer, au lieu de penser au canon qui dormait à l'étage.

Mais bien sûr, c'était plus facile à dire qu'à faire.

*
**

La rousse capiteuse qui traversait la rue n'était pas humaine.

Si Aidan Cross n'avait pas passé des siècles à tuer des Cauchemars, il n'aurait peut-être pas été assez observateur pour s'en apercevoir, et s'il n'avait pas été profondément amoureux, il se serait peut-être intéressé davantage au corps de l'inconnue qu'à ses bottes. Mais comme il était observateur et fou de Lyssa, ce fut la chevelure cramoisie qui attira son attention – et celle de tous les autres piétons mâles de la rue –, puis les bottes militaires qui la retinrent. Des bottes noires imperméables, dont le matériau n'existait pas sur la Terre.

Il ralentit le pas et ajusta ses lunettes de soleil pour mieux dissimuler ses traits. La rousse traversait la rue encombrée en diagonale, depuis le trottoir d'en face jusqu'au sien. Aidan ralentit encore afin de laisser plusieurs flâneurs s'interposer entre l'inconnue et lui.

Il faisait un temps magnifique au Mexique, à Rosarito Beach. Des petits nuages au coton immaculé piquetaient le ciel d'un bleu limpide. Derrière les magasins, à la gauche du guerrier, la mer venait embrasser le rivage en lourdes vagues au roulis rythmé. Une brise fraîche adoucissait la chaleur, donnant à l'air marin quelque chose de presque croquant. Aidan tenait à la main un pack de six Corona embuées qu'il rapportait à l'hôtel, où l'attendait sa belle. Nue. Magnifique.

Vulnérable.

Il regarda la Gardienne – peut-être une Ancienne – se mêler au flot tranquille des piétons, à quelques mètres devant lui. Elle portait une courte robe d'été à fines bretelles comportant des motifs fleuris sur fond blanc. Sans ses bracelets de cuir à piquants et les multiples tatouages tribaux qui ornaient ses bras, elle aurait eu l'air très innocente.

Le guerrier fit jouer les muscles de ses épaules afin de se préparer au combat. Si jamais l'inconnue tournait au carrefour suivant et prenait la direction de l'hôtel, il était prêt à intervenir.

Heureusement pour eux deux, elle n'en fit rien.

Il n'en éprouva cependant qu'un soulagement minime. Son entraînement lui soufflait de la suivre et de voir ce qu'elle trafiquait, tandis que son cœur lui ordonnait d'emprunter la petite rue transversale, de regagner sa chambre et de protéger Lyssa. La lutte qui se livra en lui fut pire que ce à quoi il s'attendait. Il faut dire qu'il *détestait* se battre avec des femmes, il avait horreur de ça, mais ça restait plus facile que de risquer la vie de Lyssa.

En traversant la ruelle de l'hôtel, il jeta un coup d'œil rapide à la façade de l'établissement. Rien à signaler. Les dents serrées, il continua donc à suivre sa proie, malgré la crampe qui lui tordait les entrailles. De toute manière, il ne pouvait rejoindre Lyssa directement. À cause de toutes les précautions qu'il prenait pour s'assurer de ne pas être suivi, cela faisait déjà une demi-heure qu'il était sorti acheter à boire alors que le magasin ne se trouvait qu'à cinq minutes de l'hôtel.

Son anxiété était telle qu'il éprouva une bouffée de reconnaissance envers la rousse en la voyant quitter la grande artère pour gagner un petit hôtel miteux, qui avait indéniablement connu des jours meilleurs.

Aidan la laissa creuser l'écart davantage encore.

Lorsqu'elle jeta par-dessus son épaule un coup d'œil furtif, il prit par le bras la brunette près de laquelle il passait et lui proposa une bière. Après une évaluation critique, la surprise de la jeune femme se transforma en admiration sensuelle. Aidan lui sourit mais ne quitta pas des yeux la Gardienne, qui, apparemment, le jugea suffisamment inoffensif pour ne pas lui prêter attention.

– Merci, murmura-t-il à son innocente complice quand la rousse pénétra dans une des chambres du rez-de-chaussée.

Il prit note du numéro de la porte, avant de se dégager gentiment de l'étreinte de la touriste.

– Bonne bière.

La brunette essaya de le retenir, mais il s'éloignait déjà, pressé de rejoindre son hôtel, de rejoindre Lyssa. Il n'en fit pas moins un long détour, suivant un trajet totalement imprévu sur lequel il s'arrêta à diverses échoppes de ponchos, de chapeaux, de bijoux ou de verres à liqueur, examinant discrètement les gens qui évoluaient autour de lui. Enfin, persuadé de ne pas être suivi, il franchit la petite grille en fer forgé ouverte qui séparait de manière très décorative la voie publique de la pelouse manucurée de l'hôtel.

— Tu as mis une éternité, se plaignit Lyssa quand il entra dans leur chambre du deuxième étage et referma à double-tour leur porte surchargée de serrures.

Aidan jeta ses lunettes sur la commode, près de la télé, posa les cinq bières restantes sur la table de nuit, s'allongea à demi sur le corps dissimulé par le drap puis baissa la tête pour embrasser sa compagne. Ses yeux se fermèrent tandis que le soulagement l'envahissait. Il suffisait que Lyssa le prenne dans ses bras graciles pour dissiper l'anxiété dont il vibrait à la pensée des dangers qui la menaçaient. Le gémissement de bienvenue assourdi qu'elle laissa échapper était pour lui la plus douce des musiques.

Il inclina la tête jusqu'à ce que leurs deux bouches se joignent à la perfection, se laissant engloutir par le contact, le parfum, le goût de la jeune femme. Lorsqu'elle s'arqua sous lui, les seins pressés contre sa poitrine, un grognement monta du fin fond de la gorge du guerrier.

— Mmmh... ronronna la jeune femme.

— Mmmh... acquiesça-t-il en relevant la tête pour frotter avec douceur son nez contre le sien.

Il se laissa glisser de côté sur le lit et l'attira dans ses bras.

— J'ai quelque chose d'incroyable à te raconter, murmura-t-elle.

Elle sentait la pomme et sa longue chevelure blonde était encore humide d'une douche qu'elle venait de prendre. Les draps portaient leurs odeurs mêlées, après une nuit de passion peau contre peau, du crépuscule à l'aube.

— Ah bon ?

De sa grande main, il attira sa tête contre lui.
– Oui. Connor est chez moi.
Un long silence suivit.
– Je vois, dit enfin Aidan.
Lyssa leva la tête et l'observa attentivement.
– Comment se fait-il que tu ne sois pas plus surpris ?
Il expira lourdement.
– J'ai aperçu une Gardienne. Elle loge dans un hôtel, pas loin.
– Et merde.
– Exactement, acquiesça-t-il avec lassitude.

chapitre 4

Secoué de violents frissons, hors d'haleine, Connor émergea des eaux glacées et se hissa à quatre pattes sur la berge sablonneuse. Quand il se releva, son uniforme d'Élite se plaqua en plis lourds contre sa peau. Concentré sur les effets de l'hypothermie dont il essayait de débarrasser ses muscles, il ne prit conscience d'une présence hostile que lorsqu'il fut projeté à terre.

Alors qu'un corps plus mince se nouait au sien, le géant poussa un rugissement de rage qui résonna à la surface du lac et le libéra de sa tension croissante. Se débattant, se contorsionnant en tout sens, il finit par retomber dans l'eau, entraînant son assaillant dans une explosion d'éclaboussures qui leur cingla la peau.

Cette morsure inattendue, associée à la surprise que lui avait causée l'attaque, mit réellement *Connor hors de lui. Il attrapa l'adversaire par ses vêtements et le tira sans cérémonie sur la rive.*

– Attends !

Vêtu de gris, l'homme ne pouvait être qu'un Ancien.

Malheureusement pour lui, Connor ne se sentait pas franchement bien disposé envers les Anciens. Bien au contraire, il était plutôt d'humeur à leur botter le train. Il passa sa main par-dessus son épaule et dégaina son glaive.

– Si tu as une dernière volonté, vieil homme, c'est maintenant ou jamais, gronda-t-il.

– Cross a besoin de toi.

Au son de cette voix familière, Connor se figea. Un jour merdique comme celui-là, il ne pouvait pas tomber sur un Ancien quelconque, non, il fallait que ce soit maître Sheron, son ancien professeur.

– Cross a besoin de réponses, Sheron. Nous avons tous besoin de réponses.

Lorsque l'Ancien repoussa la capuche trempée qui dissimulait son visage, Connor détailla l'homme qui avait fait de lui le guerrier qu'il était aujourd'hui. Sheron avait tellement changé qu'on ne reconnaissait qu'à peine le maître vigoureux qu'il avait été autrefois. Ses cheveux sombres avaient viré au blanc pur, sa peau bronzée était devenue d'une pâleur malsaine et ses pupilles démesurément grandes dévoraient le blanc de ses yeux. De ce point de vue-là, il ressemblait fort à la chose qu'ils avaient trouvée dans le Temple.

Le dégoût qui envahit Connor se mua presque aussitôt en fureur. Sheron avait été comme un père pour Aidan : lorsque le jeune homme avait rejoint les bancs de l'Académie, ses parents s'étaient détournés de lui. En quête d'une figure parentale, il avait alors reporté son affection sur son instructeur. Penser que la confiance de son meilleur ami avait été trahie ne fit qu'accroître la colère du géant.

Les choses avaient été différentes pour lui. Il descendait en effet d'une longue lignée de guerriers et, chez les Bruce, hommes et femmes rejoignaient systématiquement les rangs de l'Élite. Vivre et mourir par l'épée *était la devise de sa famille, raison pour laquelle le géant avait si peu de patience pour les mensonges ou la tromperie. Le temps était précieux, même pour un quasi-immortel.*

Les parents d'Aidan étaient des Gardiens d'une toute autre sorte: l'un était Guérisseur, l'autre Soigneuse. Ils n'avaient pas compris pourquoi leur fils avait choisi un chemin semblable, et les questions dont ils le harcelaient avaient fini par l'éloigner d'eux. Ils ne comprenaient pas que leur seul enfant ait besoin d'œuvrer contre *les Cauchemars plutôt que de réparer les dommages qu'ils causaient. La famille d'Aidan se limitant à ses parents, il ne lui était resté que deux proches, Connor et Sheron.*

Mais Sheron s'était révélé indigne de son estime et de son affection.

– D'autres Gardiens ont été envoyés à la poursuite de Cross sur le plan des mortels, déclara le vieillard d'un ton sinistre, les deux mains crispées sur la poignée de son épée. De puissants Anciens. Il va avoir besoin d'aide.

– Nous ne sommes pas aussi ignorants que vous ne l'imaginez, riposta Connor, moqueur, en tournant autour de son adversaire d'un pas lent et régulier. Mais puisque vous êtes d'humeur causante, si vous m'expliquiez ce qu'était cette chose, au Temple ?

Sheron se figea, l'épée baissée.

– Je les ai prévenus. Je leur ai dit que le système n'avait pas été testé, qu'il n'était pas sûr, que c'était trop dangereux, mais ils n'ont pas voulu renoncer.

– De quoi parlez-vous ?

Connor se concentra sur l'Ancien, sa méfiance montant encore d'un cran. Il connaissait ce genre de ruse: l'ennemi ne feignait de se désintéresser du combat que pour frapper ensuite par surprise.

– À l'origine, nous contrôlions le flux entre le Crépuscule et le plan des mortels par l'intermédiaire de la caverne, mais dépendre aussi totalement d'une unique localisation nous rendait trop vulnérables. Voilà pourquoi

nous avons altéré une des pièces du Temple dans l'espoir d'y attirer les faisceaux des médiums. Ça a marché... à peu près. Mais le Temple n'est plus à l'abri des Cauchemars.

– Vraiment ?

Cette nouvelle fit naître en Connor un malaise profond. La contemplation du Temple des Anciens, de sa blancheur immaculée, l'avait toujours apaisé. C'était un lieu que l'ennemi n'avait jamais souillé et où l'histoire de son peuple était conservée. Il ne s'était jamais vraiment intéressé aux archives stockées dans la salle du Savoir, mais il lui suffisait qu'elles soient là pour que le calme l'envahisse.

– Oui.

Sheron repoussa les mèches blanches trempées qui lui tombaient dans les yeux.

– La menace des Cauchemars ne fait que croître. Les plus vieux ont appris à traquer leur proie au lieu de se jeter frénétiquement dessus en hurlant. Il nous faut maintenant nous méfier de la moindre des ombres, à part dans la caverne qui, pour une obscure raison, reste sûre. Je pense que c'est en rapport avec l'eau.

– Ou alors il y fait trop froid, suggéra Connor en frissonnant dans la brise légère.

Il agita la main et créa autour de lui une poche d'isolation thermique pour réchauffer l'air environnant. Hors de ce petit espace, la vélocité de la brise augmentait à présent de manière exponentielle, tandis que des nuages tourmentés assombrissaient le ciel.

– Nous n'en savons rien, Bruce. J'ai essayé de dissuader les autres, mais ils ont estimé que le risque en valait la peine...

– Quel risque, exactement ?

Sheron pinça les lèvres.

– Les Cauchemars ont...

Un éclair déchira soudain le ciel et l'obscurité s'abattit sur eux telle une lourde chape. L'Ancien hurla et les nuages commencèrent à prendre forme pour se muer en silhouettes familières, celles des Cauchemars.

Ils étaient des milliers...

Connor se réveilla, terrorisé.

Déconcerté par son environnement, il se redressa violemment. Son cerveau avait mis une seconde de trop à lui rappeler où il se trouvait. Son cœur battait à tout rompre et il était en nage.

Il se trouvait sur le plan des mortels. En enfer.

La poitrine soulevée par une respiration laborieuse, il s'assit au bord du lit et se prit la tête dans les mains.

Saloperie de Cauchemars.

Comme si la puanteur de ce monde n'était pas suffisamment dure à supporter, voilà qu'il allait maintenant devoir résister aux Cauchemars !

Écœuré, il se leva lourdement, puis se dépouilla de ses vêtements qu'il abandonna en tas par terre. Il ouvrit la porte de la chambre où il s'était installé après avoir constaté que les deux autres étaient occupées – l'une par les maîtres des lieux, l'autre par la belle brune à l'odeur capiteuse qui avait répondu à son coup de sonnette.

Un sombre sourire incurva les lèvres de Connor. Il y avait au moins ici quelque chose – enfin, quelqu'un – qui lui plaisait.

Stacey était parfaite, tout en rondeurs et en courbes épanouies – des hanches pleines, un cul superbe et de beaux gros seins. C'était le genre de partenaire qu'on pouvait étreindre avec force et chevaucher avec ardeur.

À cette pensée, le sexe du géant durcit. Il gémit tout bas, car sa longue abstinence, son abominable journée et la présence d'une femme aussi appétissante se liguaient pour amener son sang au point d'ébullition. Il aurait volontiers enfoui les poings dans ces boucles noires et rebelles et conquis cette bouche sensuelle. Malgré son nez rouge et les larmes qui brillaient dans ses yeux verts, le visage en cœur de la jeune femme restait attirant. Il avait envie de le voir empourpré, luisant de sueur, marqué par le tourment d'un corps impatient de jouir. S'il ne s'était pas senti à l'agonie, il aurait remonté le moral de la belle dès son arrivée.

Enfin, mieux valait tard que jamais. D'autant plus qu'il avait bien besoin qu'on le réconforte, lui aussi. Il se sentait déchiré – à la fois furieux, désillusionné et perdu. Perdu. C'était ça, le pire. Le géant aimait se reposer sur des bases solides. Aidan était un aventurier dans l'âme, mais Connor préférait mener une vie balisée, sans surprises. Il détestait cette impression de chute libre et savait exactement où trouver un répit dans ce monde frénétique.

En Stacey.

Qui l'attendait au rez-de-chaussée. Même si elle ne le savait pas encore.

Il se rendit dans la salle de bains annexe et prit une douche froide. Après la journée qu'il venait d'endurer, se laver lui fit l'effet d'un moment de grâce. Lorsqu'il rejoignit le couloir, quelques minutes plus tard, il se sentait déjà plus maître de lui. Moins agité, plus calme.

Il hésita à s'habiller avant de descendre chercher de quoi manger, mais décida de n'en rien faire : il n'avait pas envie de remettre son uniforme sale, et de son point de vue, la serviette nouée autour de ses hanches suffisait à le rendre décent. D'ailleurs, sa quasi-nudité énerverait peut-être assez Stacey pour qu'elle se laisse entraîner au lit: avec un peu de persuasion, on pouvait transformer n'importe quelle émotion forte en passion sexuelle. Ce serait d'autant plus facile dans le cas de Stacey qu'elle le désirait déjà – la manière dont ses mamelons s'étaient dressés le prouvait –, même si elle n'avait manifestement pas envie d'avoir envie de lui.

Connor avait satisfait assez de fantasmes humains pour savoir qu'il arrivait aux femmes de renier leurs désirs sans que le sexe en lui-même soit le véritable problème. Un homme pouvait bien avoir un bon travail, aimer les enfants, être fidèle, aller au bureau en costume, savoir cuisiner ou réparer la voiture, elles avaient toujours davantage de raisons de lui dire « non » plutôt que « oui ».

Les Gardiens n'avaient pas ce genre de préoccupations. Le sexe représentait à leurs yeux un réconfort, un plaisir, la nécessaire satisfaction d'un besoin, une activité aussi bonne pour la santé que le moral et aussi vitale que l'air. Certains s'en tenaient à une unique partenaire, mais la plupart ne se fermaient à aucune possibilité.

Lui, c'est de réconfort et d'oubli qu'il avait besoin pour le moment, et s'il donnait à Stacey davantage de raisons de dire « oui » plutôt que « non », il pourrait l'avoir. Et il le voulait. Il la voulait. Désespérément.

Au moment de poser le pied sur le dallage en marbre du vestibule, il jeta un coup d'œil par la fenêtre décorative au-dessus de la baie vitré du patio. La lumière rougeoyante du soleil lui apprit que l'après-midi touchait à sa fin. Un autre coup d'œil à la *box* sur la télé lui confirma qu'il était un peu plus de dix-huit heures.

– Non, je n'essaie pas de te culpabiliser ! protesta Stacey avec feu.

Qui pouvait bien lui rendre visite ?

Connor allait retourner dans sa chambre chercher son pantalon, quand elle continua :

– Je n'y peux rien si j'ai l'air triste. Tu me manques. Quelle sorte de mère je serais si tu ne me manquais pas ? Mais ça ne veut pas dire que j'essaie de te faire regretter d'être là-bas !

Elle était au téléphone. La tension qui avait raidi les épaules de Connor s'évanouit. Ils étaient bel et bien seuls. Parfait. Le géant n'était pas sûr de pouvoir gérer d'autres interactions pour le moment. Ses nerfs, tendus à craquer, ne le lui permettraient pas.

Il traversa le salon et s'arrêta sur le seuil de la salle à manger. Lui tournant un dos aux muscles contractés, Stacey se frottait la nuque.

Et lui présentait un putain de beau cul ! Gros, avait-elle dit. Certes, il n'était pas petit, mais il était rond, tonique et généreux. Connor eut envie de saisir ces belles fesses fermes à pleines mains et d'incliner le bassin de la jeune femme à l'angle idéal pour s'enfoncer en elle jusqu'à la racine. À longs et profonds coups de queue... De la même manière qu'il *devait* respirer, il avait *besoin* de ce lien tangible avec quelqu'un. Un frisson d'excitation le traversa tout entier. Cependant, la voix de Stacey gagna en fébrilité et il fronça les sourcils.

– Je sais que tu ne l'as pas vu depuis des années, je ne risque pas de l'oublier... Non, ce n'était pas un coup bas... mais ce n'est que la vérité ! Il ne m'a jamais envoyé un seul centime pour toi ! Je n'invente pas... *Dépasser* ça ? Il fait du ski, je suis fauchée, et c'est moi qui devrais *dépasser* ça ? Justin ? *Justin*, mon chéri... ?

Elle poussa un énorme soupir et reposa brutalement le téléphone sur sa base.

– Putain de merde !

Connor la regarda passer ses mains dans ses boucles emmêlées, puis s'aperçut que des sanglots silencieux secouaient ses épaules. Soudain, ses envies de baise et d'oubli se transformèrent en quelque chose de totalement différent : le besoin de partager un chagrin, de compatir.

– Hé, appela-t-il doucement, touché par la frustration et la peine qui perçaient dans le juron que Stacey venait de lâcher.

La jeune femme fit un bond d'au moins trente centimètres en poussant un hurlement aigu.

– Putain de...

Une main sur le cœur, elle se retourna et le fusilla du regard. Des larmes brillaient dans ses longs cils noirs et barbouillaient ses joues pâles.

– Vous m'avez foutu une de ces trouilles !

– Je suis désolé.

Le regard de Stacey descendit jusqu'aux hanches du géant et s'arrêta sur l'érection qui tendait la serviette et en écartait les pans, dévoilant deux cuisses musclées.

– Seigneur.

Son désir évident, le chagrin de la jeune femme ainsi que les Cauchemars qu'il venait d'affronter empêchèrent Connor de tenter la moindre technique de séduction.

– Tu as le plus adorable cul que j'aie jamais vu, se contenta-t-il d'expliquer.

– Le plus adorable... ?

Stacey cligna des yeux, sans toutefois détourner le regard.

– Vous vous baladez à moitié à poil en bandant comme un âne, et tout ce que vous trouvez à me dire, c'est que j'ai un cul adorable ?

– Je peux me balader *complètement* à poil, si tu préfères.

– Oh que non !

Elle croisa les bras, ce qui ne fit que mettre un peu plus en valeur sa poitrine libre de tout soutien-gorge. Le désir qui croissait en Connor s'embrasa soudain, lui emperlant la peau de sueur.

– La maison n'apprécie pas ce genre de proposition.

– Je me fous du genre de proposition qu'apprécie la maison, répondit-il en toute franchise.

Stacey était une femme chaleureuse, tendre, avec un fort tempérament. Exactement ce dont il avait besoin.

– Je veux savoir ce que *toi* tu aimes. De la tendresse ? Quelque chose de plus sauvage ? Est-ce que tu aimes être prise vite et sans préliminaires ? Ou tu préfères que les choses durent ? Qu'est-ce qui te fait crier, mon cœur ?

– Seigneur... Vous ne tournez pas autour du pot, vous.

Invitation inconsciente, Connor vit les pupilles de la jeune femme se dilater. Il se rapprocha. Prudemment. Évitant les mouvements brusques. Il sentait la jeune femme hésiter entre la fuite et la lutte et voulait éviter la première option. Il n'était pas sûr de la laisser partir.

– Je ne supporte pas les mensonges en ce moment, murmura-t-il. Je te veux. Une nuit avec toi, après ce que je viens de vivre, ce serait le paradis. Je déteste cet endroit. J'ai le mal du pays, et j'ai mal tout court.

– D... désolée.

Elle déglutit laborieusement, les yeux écarquillés dans son charmant petit visage. Sa langue humecta ses lèvres cerise.

– Désolée de vous décevoir, mais je ne peux pas ce soir. J'ai la migraine.

Il se rapprocha encore.

Elle recula et se cogna contre un des tabourets du bar. Sa poitrine se soulevait et retombait rapidement. Celle du géant aussi. Les narines de Stacey frémissaient à présent, car elle flairait le danger. En Connor palpitait violemment le besoin d'attirer la jeune femme contre lui. De la convaincre de rester et de dire oui. De l'obliger à admettre qu'elle était sienne, car une petite voix primitive le chuchotait à son oreille. *À moi*, insistait ce murmure. *Elle est à moi.*

Et quelque chose, dans l'esprit de la jeune femme, le comprenait.

– On a eu une journée de merde, toi et moi, réussit à dire Connor, d'une voix plus rauque qu'il ne l'aurait voulu. Pourquoi est-ce qu'on passerait aussi une nuit de merde ?

– Le sexe ne résoudra pas mes problèmes.

Les mains de la jeune femme se refermèrent autour de l'assise du tabouret, son menton se releva et sa poitrine se tendit avec une insolence impudique qui mua le tourment de Connor en avidité enragée. Un grondement sourd lui échappa, auquel Stacey répondit par un hoquet de surprise. Sous le coton lâche de son débardeur, les tétons de la jeune femme pointèrent fièrement.

La verge du géant enfla encore, réaction qu'il ne put cacher, vu sa quasi-nudité. Il la voulait. *Maintenant.* Il voulait oublier qu'il était loin de chez lui, qu'il ne regagnerait peut-être jamais son monde, qu'on lui avait menti et qu'on l'avait manipulé ; il voulait étreindre une compagne ardente et l'aider à oublier ses souffrances, elle aussi. C'était ce qu'il savait faire, ce qu'il faisait depuis des siècles, ce en quoi il excellait. Ce qui le définissait. Et cette fois, ce ne serait ni un rêve ni un fantasme, mais bien réel.

Il sentait Stacey vibrer d'une anxiété teintée de désespoir, mais elle réprimait le hurlement qui lui aurait permis de libérer la frustration, la douleur et la colère qui la rongeaient. Elle mourait d'envie de nouer un véritable contact avec quelqu'un de parfaitement étranger à ses problèmes, quelqu'un à qui elle n'aurait rien à reprocher, quelqu'un qui n'aurait ni passé ni attentes en ce qui la concernait. Elle aspirait au plaisir sans culpabilité. Il suffisait de la pousser un tout petit peu.

Connor tira sur sa serviette et la laissa tomber à ses pieds.

– Je n'arrive pas à y croire, murmura la jeune femme.

Un léger sourire aux lèvres, le géant interpréta délibérément la remarque à sa manière.

– Ah ? Je n'ai pourtant pas encore commencé.

La voix de basse à l'accent rocailleux s'enroula autour de la colonne vertébrale de Stacey puis en redescendit en une coulée brûlante.

Furieuse de l'excitation qui l'envahissait, la jeune femme regarda le grand, le blond, le sublime – incroyablement sublime – homme nu s'approcher d'elle. Elle était incapable de quitter des yeux sa peau bronzée aux muscles magnifiquement sculptés, ses cheveux de miel qui ruisselaient sur un front puissant ou encore ses yeux d'un bleu éclatant qui parcouraient son corps de la tête aux pieds, brillants de désir, mais aussi de tendresse.

Des rides de tension encadraient la bouche sensuelle du géant. Stacey aurait volontiers débarrassé ces lèvres à damner une sainte de leurs soucis, quels qu'ils puissent être, d'un baiser ; mais doutait que ce soit possible.

Connor Bruce avait l'air d'être homme à se débrouiller seul. Il y avait en lui quelque chose d'éminemment dangereux, de sauvage, d'indompté. Il semblait également... *sombre*, tourmenté. Un sentiment que Stacey comprenait, car c'était précisément celui qu'elle ressentait à cet instant. Elle était tendue, se maîtrisait à peine. Elle bouillait de se rendre droit à Big Bear pour crier à Justin et Tommy qu'un putain de week-end au ski ne suffisait pas à faire de Tommy le papa du siècle.

Exaspérée par son incapacité à « dépasser ça », elle

lorgna imprudemment le sexe tentateur du Viking nu. Après tout, il le lui agitait sous le nez...

– Il est à toi, murmura-t-il en la rejoignant, mélange dévastateur de détermination et de savoureux abdominaux ciselés.

La jeune femme leva les yeux et vit briller une étincelle de défi dans les profondeurs bleues de ceux du géant. Il savait qu'elle ne pouvait s'empêcher de convoiter ce qu'il lui offrait si crûment.

– Et tu es à moi.

Comme Stacey aurait aimé pouvoir lui rire au nez. Étant donné qu'ils se connaissaient depuis quelques heures à peine, cette déclaration aurait dû paraître du plus grand ridicule, mais Connor était trop primitivement mâle pour accepter qu'on rejette sa possessivité. Et, apparemment, elle avait elle-même des instincts suffisamment primitifs pour apprécier qu'il la traîne jusque dans sa grotte en la tirant par les cheveux.

Qu'un homme soit à ce point parfait était presque un crime. Mesurant plus d'un mètre quatre-vingt-dix de pure, de puissante virilité, il était grand, bien bâti, sans gêne... irrésistiblement sans gêne. Et fier de l'être. S'il n'y avait eu que cela, la jeune femme aurait peut-être réussi à lui résister, mais le géant avait aussi un air vulnérable qui, même si elle ignorait d'où il venait, attirait Stacey. Profondément. La jeune femme découvrit qu'elle avait envie de le consoler, de le serrer dans ses bras, de le faire sourire...

Malgré elle, Stacey reporta son regard sur la longue et imposante verge qui se dressait devant le géant. Parfaite aussi. Même en y portant la plus grande attention, la jeune femme ne parvint pas à trouver le moindre défaut au corps du Viking. Il était d'une beauté sauvage et d'une séduction redoutable, mais elle ne céderait pas. Pas question. Certes, elle salivait rien qu'à le regarder, mais hors de question qu'elle répète ses erreurs passées. Elle ne le connaissait même pas, bon sang!

– Ça marche, d'habitude, ton speech à la Conan le Barbare ? s'enquit-elle, un sourcil en accent circonflexe, usant de tout son talent de comédienne. Parce que moi, franchement, ça ne me branche pas.

Connor la gratifia d'un sourire espiègle et la jeune femme fut sidérée de se voir y répondre.

– Prouve-le.

Un frisson la traversa devant la vivacité et la souplesse de sa démarche. Elle se cramponna au tabouret derrière elle et se cassa un ongle, ce qui lui arracha un gémissement de consternation. Ce faible cri haletant n'était que trop révélateur, elle le comprit instantanément en voyant le regard de Connor s'embraser et s'assombrir tout à la fois, tandis que sa queue enflait davantage encore. Stacey avait maintenant la bouche sèche.

Mon Dieu... La vision de l'énorme pénis aux veines palpitantes l'obligea à ravaler un geignement de désir. Des tas d'acteurs porno auraient payé pour avoir un sexe pareil; des tas de femmes le faisaient bien pour en avoir un du même acabit, mais en plastique moulé et contrôle de vitesse intégré.

– C'est un défi ? murmura-t-elle, fascinée par cette grâce prédatrice.

Elle se demanda comment il bougeait pendant l'amour et cette pensée la fit mouiller.

Elle était seule, fatiguée, mécontente des cartes que la vie lui avait distribuées et assez furieuse pour avoir envie de laisser tomber une heure ou deux son rôle de mère mal aimée. *Dépasser ça* ? Très bien. Et quoi de mieux qu'un homme comme Connor Bruce pour ça ?

– Laisse-moi te serrer dans mes bras, murmura-t-il avec son accent envoûtant.

Elle ne bougea pas, incapable de remuer un cil.

Lorsqu'il la rejoignit, elle retint son souffle, sûre que l'odeur du beau mâle romprait sa résistance à la proposition tentante, mais inacceptable, qu'il lui faisait. L'arôme de sa peau était unique. Un peu épicé, un peu musqué, cent pour cent viril. Du pur Connor. Respirer ce parfum ne ferait que rendre plus nettes les images qui traversaient déjà l'esprit de la jeune femme : Connor au-dessus d'elle, ses biceps saillants et ses abdominaux contractés par le va-et-vient en elle de son impressionnante queue, ses traits sublimes altérés par le désir.

Exactement comme maintenant.

Terrifiée par sa propre avidité, Stacey secoua violemment la tête puis bondit de côté dans l'espoir de contourner la table... et de le voir la poursuivre.

Ce qu'il fit.

Il se jeta en avant et l'attrapa facilement. Un bras d'acier noué à sa taille, il l'attira dos contre lui. Cette proximité enflamma le désir de la jeune femme qui, les jambes tremblantes, sentit son corps palpiter d'anticipation.

– Laisse-toi faire, Stacey.

Pressante, lourde d'envie, la voix du géant avait changé.

– J'ai besoin de toi. Tu as besoin de moi. Laisse les choses se faire.

L'exigence ardente de Connor se devinait dans la moindre ligne de son grand corps. Elle était tangible et très, très tentante.

Mais aussi complètement démente.

– Mais ça va pas ! protesta Stacey en se débattant, plus parce qu'elle trouvait ça excitant que parce qu'elle espérait se dégager. Tu ne peux pas juste me prendre sous le bras et me traîner au lit quand ça te chante !

– Tu as raison. Pas besoin d'aller aussi loin. On est très bien ici.

– *Ici* ? croassa-t-elle. C'est complètement dingue ! On ne se connaît même pas !

Il resserra son étreinte et fourra doucement son nez dans le cou de sa prisonnière, effleurant de la langue le pouls tumultueux qui battait sous la peau tendre. Enfermée dans l'étau de ses bras puissants, enveloppée par son odeur et son attention minutieuse, Stacey avait le tournis. Elle ne doutait pas une seconde qu'il trouve la moindre de ses zones érogènes et ne doutait plus d'en avoir envie. D'avoir envie de lui. Ça faisait si longtemps qu'elle n'avait pas couché avec quelqu'un qui se préoccupait de son plaisir à elle. Quelqu'un qui semblait avoir *besoin* de lui en procurer.

– Tu réfléchis trop, murmura-t-il, les lèvres contre son oreille.

Deux mains chaudes, à la pression ferme mais douce, s'insinuèrent sous son débardeur puis enveloppèrent ses seins. Pouces et index se refermèrent autour de ses mamelons et se mirent à les pincer, les rouler, les tirailler suavement. Tandis que la sensation descendait tout droit jusqu'à son entrejambe en fourmillements affolants, la jeune femme se cambra contre le torse puissant. En réponse, un grondement bas s'éleva dans la poitrine du géant.

Stacey mourait d'envie de fermer les yeux et de s'abandonner à son étreinte, mais...

— Normalement, on ne couche pas avec un parfait inconnu juste parce qu'on a eu une journée de merde, balbutia-t-elle.

— Pourquoi pas ? Pourquoi nier ses désirs ?

— Ça s'appelle la maturité.

Changeant de tactique, elle se laissa soudain aller entre les bras du Viking, comme un poids mort, mais il n'eut pas l'air de s'en apercevoir. Ce type était de taille à porter un éléphant.

— Moi, j'appelle ça du masochisme.

— Je parie que tu vis ta vie sans te poser de question, persuadé de pouvoir faire tout ce que tu veux juste parce que t'es sexy.

Il l'embrassa brusquement sur la tempe et malaxa la poitrine généreuse à pleines mains.

— *Tu* es sexy et tu ne fais pas ce que tu veux.

Stacey renifla.

— Les compliments ne m'ouvriront pas les cuisses.

Connor lui saisit le visage et lui inclina la tête pour que leurs bouches se rencontrent.

— Non, chuchota-t-il tout contre ses lèvres, mais ça, oui.

De sa main libre, il arracha le bouton du jean de la jeune femme, puis plongea dans le vêtement ouvert.

— Non...

La langue de Connor s'insinua dans sa bouche,

coupant court à ses protestations tandis qu'il commençait à la caresser à travers son string en dentelle.

– Si, ronronna-t-il en massant de ses doigts habiles la chatte affamée. Tu es trempée, mon cœur.

Elle gémit quand il écarta le tissu inutile pour la toucher, peau contre peau.

– Dis-moi que tu me veux, souffla-t-il d'une voix rauque en introduisant le bout calleux de son index dans l'intimité de Stacey pour titiller d'avant en arrière et de cercles paresseux son clitoris gonflé.

Haletante, tendue à l'extrême, ses jambes frémissaient.

– Oh ! Je vais jouir... Mon Dieu...

Cela faisait si longtemps qu'elle n'avait pas fait l'amour qu'elle démarrait au quart de tour !

– Dis-moi que tu me veux, répéta Connor tandis que les hanches de la jeune femme dansaient sur ce doigt qui allait la rendre folle.

– Qu'est-ce que ça peut faire ? hoqueta-t-elle, ruant comme un animal dans la cage des bras puissants.

– Je te veux.

Le géant la mordit à la nuque, lui arrachant un cri de surprise.

– Et je veux que tu me veuilles en retour.

Deux longs doigts épais la pénétrèrent et un spasme la secoua tout entière, lui faisant frôler l'orgasme. Ses yeux se fermèrent et sa tête partit en arrière s'appuyer contre le torse de Connor. Au bord des larmes, elle frissonnait violemment et sentait tout contrôle sur elle-même lui échapper. Toute sa journée n'avait été qu'une succession d'émotions fortes difficiles à supporter, et voilà qu'il ajoutait l'excitation et le désir au mélange.

– Oui..., gémit-elle, les ongles plantés dans l'avant-bras qui lui barrait les seins.

C'était tellement bon d'être étreinte de cette manière, d'être désirée.

– Baisse ton pantalon.

Elle empoigna son jean par la ceinture et le laissa tomber jusqu'à ses genoux tout en essayant de refouler les larmes brûlantes qui menaçaient de dévaler ses joues. Puis elle tendit le bras vers le comptoir de granit, trouva son sac à main et en sortit les capotes qu'elle avait achetées une semaine plus tôt. Elle avait pris une grande taille, Magnum XL, pensant que cette petite blague allégerait le discours de « l'abeille qui butine la fleur » qu'elle comptait faire à Justin ; mais à présent, Stacey espérait qu'ils ne seraient pas trop petits. Connor était énorme, ce qui ne faisait qu'accroître l'excitation de la jeune femme et diminuer sa résistance. Seigneur... dire qu'il n'allait pas tarder à être *en elle... bientôt...*

Connor passa un pied entre ses jambes et le posa sur son jean pour le descendre jusqu'à terre. Quand les fesses de Stacey heurtèrent sa solide érection, il laissa échapper entre ses dents une sorte de sifflement et son étreinte se resserra autour de la jeune femme. Une vive peur emballa le cœur de Stacey. Conor était un colosse et il semblait avoir du mal à se contrôler.

– Chut, fredonna-t-il en la lâchant juste le temps de glisser une main sous son débardeur.

Il la posa sur le cœur affolé de la jeune femme et appuya quelques instants sa puissante poitrine contre le dos de sa compagne. Stacey sentit qu'il haletait et quand le géant posa brusquement sa joue contre la sienne, elle s'aperçut qu'il avait le visage rouge et brillant de sueur.

– Ce n'est pas moi. Je ne suis pas comme ça. Je vais trop vite...

– Je ne suis pas comme ça non plus, chuchota-t-elle, posant sa main sur celle du Viking à travers le coton de son débardeur et l'entraînant jusqu'aux pointes de ses seins.

Là, ses doigts s'accrochèrent à ceux du guerrier, les pressant de caresser sa chair lourde, douloureusement palpitante.

– Et tu ne vas pas assez vite.

– Je vais te baiser. Je ne peux plus me retenir.

L'accent de Connor s'était accentué au point de rendre ses paroles quasi incompréhensibles.

– Vite et fort. Et après on recommencera. Je vais faire en sorte que tu aimes. Faire ça bien.

Secouant la tête, Stacey se pencha en avant afin de lui offrir la partie la plus intime de son corps.

– Bien ou pas je m'en fous. Fais-le, c'est tout.

Il gronda vaguement quelques mots, puis ouvrit la boîte de capotes et déchira un des petits étuis d'aluminium. De son côté, la jeune femme se contraignit à inspirer et expirer calmement pour éviter d'avoir le tournis, se disant et se répétant que c'était juste un coup d'une nuit et qu'elle ne commençait en rien une « relation ». Connor n'avait pas à avoir les qualités d'un petit ami... juste à être bien équipé et à lui témoigner un minimum de considération.

De plus, le géant était le meilleur ami d'Aidan, lequel était un type génial. Ça ne faisait pas forcément de Connor un type génial, certes, mais ça le hissait d'un cran au-dessus d'un parfait inconnu. Et puis ils étaient adultes. Ils pouvaient bien s'accorder une petite partie de jambes en l'air sans conséquences et rester en bons termes par la suite. Elle ne répétait pas du tout ses erreurs passées, puisqu'elle n'attendait rien d'autre qu'un ou deux orgasmes du géant. Rien d'autre. *Strictement* rien d'autre.

Stacey était presque parvenue à se convaincre que Connor n'était rien de plus qu'un vibromasseur sur pattes, quand le géant lui saisit les cuisses et la souleva de terre sans la moindre difficulté, lui faisant perdre l'équilibre dans plusieurs sens du terme. Elle poussa un cri de stupeur en se cramponnant au tabouret de bar et sentit le monde vaciller sous elle.

Il était là. Insérant son gland imposant dans la moiteur glissante de sa chatte. Elle gémit tandis qu'il donnait une petite poussée. Le grondement doux qui s'échappa des lèvres du géant l'aurait apaisée en d'autres circonstances, mais elle était pour le moment bien trop excitée, et en proie à trop d'émotions mêlées.

– Détends-toi, ajouta-t-il d'une voix rauque. Ouvre-toi. Je te tiens.

Haletante, elle se contraignit à se laisser aller, malgré sa peur d'être trop lourde, et s'aperçut avec stupeur qu'il la portait sans aucun problème. Il s'enfonça en elle de deux ou trois centimètres supplémentaires. Il était si gros que la jeune femme sentait la moindre veine, le moindre petit repli de peau de son sexe.

– Oooh !

– Caresse-toi, lui ordonna-t-il.

Il progressa encore en elle en frissonnant.

— Fais-toi plaisir. Tu es tellement étroite...

S'accrochant d'un bras au tabouret, Stacey glissa son autre main entre ses jambes, si écartelée pour livrer passage à son compagnon que le capuchon de son clitoris se découvrait presque entièrement – gonflé, brûlant, lubrifié. Elle ne se rappelait pas avoir jamais été aussi excitée. Connor s'enfonçait maintenant en elle à coup de poussées superficielles, mais rapides, qui lui arrachaient des miaulements suppliants. Lorsque le vagin de Stacey se contracta autour de son énorme queue, il lâcha un grondement bas, tandis que ses doigts s'enfonçaient dans la chair des cuisses offertes.

— C'est ça..., souffla-t-il d'une voix rauque. Aspire-moi, engloutis-moi tout entier...

Un orgasme brutal empoigna Stacey, qui jouit dans un cri de soulagement, sans cesser de se caresser, le sexe inondé de plaisir. Connor n'eut qu'à donner un grand coup de reins pour s'enfouir en elle jusqu'à la garde avec un grognement étouffé. Le téléphone sonna. Dans un coin de son esprit, Stacey l'entendit mais ne reconnut pas le son qui, de toute manière, fut très vite noyé par le rugissement assourdissant du sang battant dans ses oreilles.

— Accroche-toi, lui intima Connor.

Dans un rythme sauvage, il se mit à pilonner le sexe humide de la jeune femme, ses jambes puissantes se pliant et se dépliant entre les cuisses de sa compagne. Elle ferma les yeux. À chaque poussée fougueuse, sa joue frottait contre le bois dur du tabouret glissant de sueur. Elle était en feu. La verge du géant semblait être un fer rouge planté en elle. Mais si elle était brûlante, il l'était encore plus.

Incrédule, elle sentit la tension renaître en elle, croître à nouveau, de plus en plus nette... Les lourds testicules heurtaient à intervalles réguliers son clitoris électrisé, avec un claquement léger si érotique qu'elle en frissonnait d'excitation renouvelée. Le gland du Viking toucha soudain en elle un point si sensible qu'elle se retrouva instantanément au bord de l'orgasme.

– Mon Dieu, gémit-elle. Je vais de nouveau jouir.

Connor lui écarta les jambes davantage encore pour plonger au plus profond de son vagin, et stimula l'endroit magique avec une telle adresse que ce manège arracha à Stacey des gémissements de plaisir affolés. Et, chaque fois qu'elle se cambrait sous ses poussées impitoyables, elle le sentait enchanté.

Il l'avait prévenue qu'il ne pourrait se retenir bien longtemps, mais maintenant qu'il était en elle, il n'avait pas l'air pressé de jouir. Incapable d'en supporter davantage, un peu effrayée aussi à l'idée d'être dévastée par un second orgasme aussi extrême que le premier, Stacey se glissa la main entre les jambes pour caresser les testicules oscillants.

Connor poussa un juron tandis que son pénis gonflait encore, remplissant totalement la jeune femme.

– Je vais bientôt...

Elle se raidit et contracta tous ses muscles intérieurs, enserrant le membre du géant. Il sursauta violemment et, poussant un cri guttural, commença à jouir. Sa queue se tendit, puis se cabra sous la force d'une éjaculation brutale, épuisante. Il s'effondra, entraînant Stacey avec lui. D'abord à genoux, puis à même le sol où il s'allongea de tout son long sur le dos. Ses bras musclés autour de la jeune femme dont le débardeur s'imbibait lentement de la sueur de son amant, les lèvres pressées contre les boucles brunes, il demeura là, en proie à un orgasme qui n'en finissait pas...

chapitre 5

— Bonjour ! Vous êtes bien chez Lyssa Bates et Aidan Cross. Nous ne sommes pas disponibles pour le moment. En cas d'urgence, veuillez…

Aidan raccrocha en jurant tout bas et se laissa retomber sur le lit.

Lyssa se souleva sur un coude pour le fixer de ses grands yeux sombres.

— Ça ne répond pas ?

Le guerrier secoua la tête.

— Peut-être que Connor dort encore et que Stacey est sortie acheter à manger.

— Peut-être. Il va falloir réessayer plus tard, avec le portable, en retournant à San Ysidro.

Aidan suivit du regard le pendentif qu'il avait donné à Lyssa pour la protéger, et qui oscillait doucement entre ses beaux seins. Quand il avait rencontré la jeune femme, elle souffrait d'insomnies, à cause de son étrange capacité à empêcher Gardiens et Cauchemars de pénétrer dans ses rêves. À présent, elle offrait une vision paradisiaque, avec sa peau claire dorée par le soleil, ses yeux que nulle ombre ne hantait plus et sa silhouette sensuelle un peu plus pleine. Mais, si belle que soit cette enveloppe, c'était son contenu qu'il adorait : sa gentillesse, sa compassion, son amour pour lui et sa profonde volonté de le rendre heureux.

– Tu es sûr que c'était une Gardienne ? demanda Lyssa pour la centième fois en caressant les muscles d'acier du torse nu d'Aidan.

– Oh que oui. Ou bien c'était une Ancienne. On le saura quand j'aurai fouillé sa chambre.

Voyant Lyssa tressaillir à cette idée, Aidan lui saisit la nuque et posa un rapide baiser sur son front

– Fais-moi confiance.

– Je te fais confiance. Et tu le sais.

Elle soupira, tandis que ses longs cils fournis s'abaissaient pour dissimuler ses pensées.

– Mais ça ne m'empêche pas de mourir d'inquiétude dès que tu cours le moindre danger. Je suis terrifiée à l'idée qu'il puisse t'arriver quelque chose.

– Pareil pour moi, ma belle. C'est pour ça que je dois aller voir. Si quelqu'un nous traque, il faut qu'on le sache.

Aidan attrapa une des mèches blondes de Lyssa et l'enroula autour de l'un de ses doigts.

– On doit savoir si c'est toi qu'elle cherche ou bien la *taza*. Peut-être les deux. Mais elle peut aussi être là pour une toute autre raison qu'on ne devine pas encore.

La jeune femme se redressa et s'adossa à la tête de lit. Le soupir qu'elle poussa se fondit au bruit des vagues qui s'écrasaient sur la plage, sous le balcon.

– Ça craint d'être la Clé.

– Je suis désolé, murmura Aidan d'une voix aussi apaisante que possible.

Il ne pouvait rien dire de plus, ils le savaient tous les deux.

– Mais ça en vaut la peine, pour être avec toi, affirma-t-elle tout bas avec ferveur.

Il lui prit la main, la porta à ses lèvres et lui baisa les doigts.

– Une dernière bière, avant qu'on rende la chambre ?

Le sourire de Lyssa lui alla droit au cœur. Aidan mourait d'envie de s'attarder au lit en sa compagnie, mais ils devaient vraiment y aller. Il se leva et s'éloigna de la jeune femme avant que ses émotions ne l'emportent sur sa raison, ce qui arrivait souvent depuis qu'il était aussi éperdument amoureux. L'impression tenace que son bonheur avec Lyssa ne durerait pas, qu'il existait quelque part un sablier qui mesurait le temps qu'il leur restait l'obsédait à le rendre fou. D'autant plus que c'était chez un immortel une impression révélatrice – et ce qu'elle révélait n'avait rien de réjouissant.

– Tu prends tellement soin de moi, murmura la jeune femme. Tu veilles sur moi, tu me soutiens. Je ne sais pas ce que je ferais sans toi.

– Et tu ne le sauras jamais, ma belle.

Plongée dans le bleu profond des yeux d'Aidan, elle chercha à écarter l'anxiété haïssable qui vibrait au fond de son être, l'impression qu'une malédiction pesait sur eux, que le destin les condamnait. L'angoisse l'oppressait au point de lui donner mal au cœur. Sachant qu'une Gardienne traînait dans le coin, son instinct la poussait à fuir l'ennemi et non à le traquer pour découvrir ce qu'il voulait.

Aidan s'approcha de la table disposée près de la baie vitrée ouverte, coupa avec son canif un des citrons verts achetés la veille, puis en rapporta quelques tranches.

Fascinée par sa pure beauté physique, Lyssa le regarda approcher dans une délicieuse exhibition d'abdominaux harmonieux et de mains tendues dégoulinantes de jus de citron. Plus d'un mètre quatre-vingts de mâle pur, sans additif, succulent. L'homme de ses rêves, littéralement, un homme qui avait tout quitté pour elle et qui la protégeait au péril de sa vie, parce que son peuple cherchait à la tuer. Elle l'aimait à en avoir mal dans la poitrine, une brûlure douloureuse qui l'empêchait presque de respirer.

– Me protéger, travailler pour McDougal et chercher les artefacts... Tu ne crois pas que ça fait beaucoup pour un seul homme ?

Lorsqu'il s'assit au bord du lit, elle lui posa la main sur l'épaule. Les muscles de son amant jouèrent sous sa peau quand il ouvrit la canette puis logea une tranche de citron vert dans le goulot. Le parfum acide du fruit se mêla à l'odeur épicée et exotique du guerrier.

– Si tu as vu une Gardienne, il y en a peut-être d'autres, ajouta Lyssa.

Aidan se tourna pour la dévisager. Il avait d'intenses yeux bleus, aussi sombres que des saphirs à l'eau profonde. Un regard unique, tout comme le reste de sa personne : avec son menton ciselé et son front noble, ses cheveux aile-de-corbeau et son corps sublime, il était fait pour combler les femmes. Il était fort, bien découplé, dangereusement beau. Et il était à elle. Pas question qu'elle le perde.

– Je sais, admit-il en lui tendant la canette puis en prenant la suivante.

Le mouvement contracta les muscles puissants de son bras, vision qui fit courir des frissons sensuels dans tout le corps de sa compagne. Ils avaient passé la journée à faire l'amour, mais elle avait encore envie de lui. Elle aspirait en permanence à le voir, à le toucher, à établir le contact physique grâce auquel leur amour devenait tangible.

– Connor ne serait pas venu si ce n'était pas une question de vie ou de mort, reprit-il d'un ton las. Contrairement à moi, il était heureux dans le Crépuscule. Ce monde doit être un enfer pour lui.

– Super, murmura-t-elle. Ça promet.

Aidan avait réfuté l'antique prophétie de son peuple, d'après laquelle Lyssa était la Clé destinée à détruire son univers et celui des humains. Par amour pour elle, il avait quitté son Crépuscule natal. Nul autre Gardien n'avait de motifs aussi puissants.

– Ne perds pas espoir.

Il s'assit à côté d'elle et étendit ses longues jambes dénudées par son short kaki. La nuit tombait rapidement, mais aucun d'eux ne chercha à allumer une des lampes. La porte entrebâillée de la salle de bains libérait assez de lumière pour leur permettre d'y voir.

Aidan but quelques longues gorgées puis se radossa, la bière dans son giron.

– Maintenant que les Gardiens sont ici, il y a peut-être un moyen de traquer par les rêves. Connor nous apporte peut-être de bonnes nouvelles.

– Je déteste me sentir aussi impuissante.

Les doigts de Lyssa tiraillaient sans relâche l'étiquette de sa canette et ses yeux erraient sur l'épée posée sur une chaise de la chambre.

– Je ne sais pas lire ta langue, donc je ne peux pas t'aider à déchiffrer les livres que tu as volés.

– Empruntés pour une durée indéterminée, corrigea-t-il en riant.

Elle renifla.

– Je ne sais pas me battre, donc je ne peux pas le faire pour toi. Je n'ai pas non plus des siècles de souvenirs, contrairement à toi, donc je ne peux pas t'aider à chercher les artefacts...

Il tendit une main humide et glacée pour immobiliser ses doigts fébriles.

– Ça ne veut pas dire que tu ne m'aides pas. Tu as aussi une mission très importante : recharger mes batteries. C'est pour ça que je t'ai emmenée avec moi, cette fois.

– Je voulais venir. Je déteste que tu partes des jours ou des semaines d'affilée. Tu me manques trop.

Il la regarda, un doux sourire aux lèvres.

– J'ai besoin que tu sois avec moi, et pas seulement pour des raisons pratiques. Chacune de tes inspirations me donne une raison de vivre. Chacun de tes sourires m'apporte l'espoir. Chaque fois que tu me touches, tu réalises l'un de mes rêves. Je ne vis que pour toi, ma belle.

– Aidan...

Lyssa en avait les larmes aux yeux. Le guerrier pouvait débiter les pires lieux communs, ils n'avaient jamais l'air niais dans sa bouche. Il s'investissait à cent pour cent dans tout ce qu'il faisait, y compris dans son amour pour elle.

– Quand on s'est rencontrés, j'étais en train de mourir.

Il n'exagérait pas, elle le savait. Il avait véritablement été à l'agonie. Non pas physiquement, mais mentalement. Épuisé par l'impasse dans laquelle se trouvait la guerre contre les Cauchemars et découragé par son absence de liens envers quiconque, Aidan ne faisait que survivre. Sans vivre. Lyssa avait compris la terrible solitude dont il souffrait sans qu'il n'ait besoin de le lui dire. Il avait suffi à la jeune femme de plonger dans le néant de ses yeux.

– Je t'aime, chuchota-t-elle, avant de se pencher vers lui pour l'embrasser.

Malgré leurs différences – ils appartenaient tout de même à deux espèces distinctes –, ils se ressemblaient énormément. Le manque de rêves avait torturé Lyssa, l'épuisant jusqu'à ce qu'elle n'ait plus assez d'énergie pour accomplir tout autre chose que son travail, mais l'amour d'Aidan lui permettait à présent d'envisager l'avenir avec optimisme.

– Tu as intérêt, répondit le guerrier, taquin, en lui attrapant la tête pour la maintenir contre lui, alors qu'elle allait s'écarter.

Il lui effleura la bouche du bout de la langue puis lui mordilla la lèvre inférieure. Un gémissement séducteur monta de la gorge de Lyssa.

– Je te satisferais avec plaisir, ma belle, murmura-t-il, mais il faut qu'on y aille.

Elle acquiesça en refermant le poing sur son pendentif. Cette pierre – mélange de cendres de Cauchemar et de verre spécial provenant du monde natal des Gardiens – avait changé sa vie. Il en émanait une énergie à nulle autre pareille, combinaison de celles des Gardiens et des Cauchemars. Tenant ces deux factions à l'écart de ses rêves, il lui permettait de dormir normalement.

– J'ai déjà rangé mes affaires dans le sac tout à l'heure, après ma douche.

– Parfait.

Aidan lui embrassa le bout du nez.

– On attend qu'il fasse nuit noire pour y aller, je fouille la chambre de notre amie Gardienne, et avec un peu de chance, on découvre ce qu'elle est. Après ça, direction Ensenada, où on récupère la relique de McDougal avant de rendre visite au chaman.

– Et moi je suis ton chauffeur, compris.

– Yep, mon aigle de la route.

Il but une rasade de bière.

– Au moins, cette fois, j'ai réussi à obtenir deux semaines de recherches. Pas question que je quitte le Mexique sans la *taza*.

Quelques jours plus tôt, alors qu'Aidan se préparait à assister à la vente aux enchères d'une obscure poupée de rêve, son employeur, Sean McDougal, l'avait rappelé en Californie pour le consulter sur l'acquisition d'une épée ancienne. Furieux et n'ayant pas franchement le choix, Aidan avait dû rater la vente.

McDougal était un collectionneur d'antiquités excentrique et d'une richesse exceptionnelle. Il avait placé Aidan à la tête de son équipe de collecteurs d'objets, car les connaissances historiques de première main du guerrier et sa compréhension profonde de toutes les langues terrestres faisaient de lui l'homme idéal pour ce poste. Lequel lui permettait de voyager à son gré à travers le monde entier, tous frais payés. Sans son travail, jamais il n'aurait pu se permettre de traquer les artefacts dont il était question dans les archives des Anciens. Il avait absolument besoin de le conserver.

— Je ne comprends pas pourquoi les Anciens ont attendu aussi longtemps pour envoyer des Gardiens à la recherche des artefacts, reprit Lyssa, réfléchissant tout haut. Ils auraient pu le faire avant que tu ne viennes, non ?

— Tant qu'on n'avait pas trouvé la Clé – tant qu'on ne t'avait pas trouvée, *toi* – les artefacts étaient plus en sécurité ici. C'est petit, le Crépuscule. Au fil des siècles, on aurait fini par les trouver là-bas. Tandis qu'ici, ils étaient hors de portée des curieux.

Lyssa soupira, repoussa le drap et se glissa hors du lit, tirant à son compagnon un sifflement admiratif qui lui fit monter un sourire aux lèvres. Sitôt sa petite robe d'été enfilée, elle reprit sa bière et sortit sur le balcon admirer les dernières lueurs du crépuscule sur la côte. Quelques secondes plus tard, Aidan l'entoura de ses bras robustes, une main posée sur la balustrade, sa canette dans l'autre. Il promena une bouche caressante sur l'épaule de la jeune femme, qui puisa dans l'étreinte de son grand corps un réconfort bienvenu.

Une odeur de barbecue montait jusqu'à eux. La bouteille de crème solaire ouverte, posée sur leur petite table en plastique, dégageait un faible parfum de noix de coco. En ce qui concernait Lyssa, son environnement correspondait parfaitement – du point de vue visuel comme olfactif – à ce qu'on pouvait attendre d'une station balnéaire animée de Baja California. Mais pour Aidan, qui avait vécu des siècles dans une bulle – enfin, dans un passage entre deux plans d'existence, comme il le lui avait expliqué – ce bombardement sensoriel devait être déstabilisant.

— Ça te manque ? demanda-t-elle tout bas. Le Crépuscule.

Elle sentit la bouche qui caressait sa peau s'étirer en un sourire.

— Pas comme tu te l'imagines.

Lyssa se retourna dans les bras d'Aidan et vit qu'une étincelle malicieuse brillait dans ses beaux yeux saphir.

— Ah ?

— Ce qui me manque, par moments, c'est le calme absolu. Ma maison, aussi, mais seulement parce que j'aimerais t'y emmener. J'aimerais qu'on soit seuls, tous les deux, dans un endroit sûr. Où le temps n'aurait aucune importance et où je pourrais supprimer tous les bruits pour ne plus entendre que toi et les sons que tu fais quand je suis en toi.

— Ce serait merveilleux, souffla la jeune femme, l'enveloppant de ses bras et de son amour.

— C'est mon rêve, chuchota-t-il en posant son menton sur la tête de Lyssa. Heureusement, on sait tous les deux que les rêves deviennent réalité.

*
* *

Stacey bougea la première et Connor dut lutter contre l'instinct qui le poussait à la garder étroitement serrée contre lui. Le cul sensuel de la jeune femme frotta contre son bas-ventre, ce qui suscita chez lui une réaction d'une fermeté admirable, compte tenu du fait qu'il ne se sentait toujours pas au mieux de sa forme. Voyager entre les plans d'existence épuisait son homme.

– Seigneur, souffla-t-elle. Comment peux-tu encore bander, après *ça* ?

Il enfouit un léger rire dans la masse parfumée de boucles noires et resserra son étreinte. Elle était aussi tendre et brûlante qu'il l'avait imaginé, un refuge appréciable, et même délicieux dans un monde merdique comme celui-là. Lui qui n'avait jamais été du genre à fuir les problèmes, il était tenté de le faire en compagnie de Stacey. De s'enfermer avec elle dans une chambre et de faire comme si les dernières semaines n'avaient jamais eu lieu.

– Tu es en train d'agiter ton petit corps sexy sur le mien ; comment je pourrais ne *pas* bander ?

– Tu es malade. J'en peux plus.

– Vraiment ? lui susurra-t-il en glissant l'une de ses mains entre les jambes écartées de la jeune femme.

Il se cambra ensuite et s'enfonça plus profondément en elle. De sa main libre, il saisit un sein voluptueux tandis que de l'autre il promenait ses doigts autour du clitoris de la jeune femme, attentif et délicat, après la frénésie avec laquelle elle s'était caressée un peu plus tôt.

– Ne t'inquiète pas, je m'occupe de tout.

– Je... je suis... Ah ! je peux pas...

– Mais si, chérie.

Connor lécha le lobe de l'oreille de la jeune femme, le lui suçota puis introduisit sa langue dans son ourlet. Elle frissonna, et le passage étroit où glissait la verge du géant devint plus moite que jamais.

Délicieux. À petites poussées, il continua à progresser en elle, massant de son gland imposant le fourreau qui l'enserrait de manière si savoureuse. La contentant de tout son corps et de tout son talent, il sentit le froid glacial dans lequel les Cauchemars et le mal du pays l'avaient plongé se dissiper sous la réponse brûlante de Stacey.

Elle se tortillait maintenant en geignant et se raidissait dans ses bras, haletante, suppliante :

– ... Oui... oooh... oui, plus fort...

Il lui attrapa le mamelon, le pinça, le tirailla en douceur. Les muscles internes de Stacey se contractèrent soudain sur toute la longueur de sa queue et lui arrachèrent un gémissement.

– C'est ça, la félicita-t-il, enchanté de ces réactions.

La jeune femme se concentrait autant sur lui que lui sur elle, ce qui était parfait. *Elle* était parfaite.

Puis elle s'effondra soudain dans ses bras, en poussant un faible cri qui faillit avoir raison de lui. Il serra les dents et se retint, l'apaisant par des baisers et des murmures appréciateurs.

– Mon Dieu, hoqueta-t-elle, tandis que sa tête retombait de côté et que sa joue logeait contre celle de Connor. Trois orgasmes en une heure. T'essayes de me tuer ?

– Ce n'était pas assez ? Je peux continuer si tu veux, répondit-il en lui pinçant le mamelon.

Elle chassa sa main d'une tape, ce qui le fit rire.

– J'aime bien ton rire, dit-elle timidement.

– Je t'aime bien, toi.

– Tu ne me connais pas.

– Mmmh... Je sais que tu adores ton fils et que tu es une excellente amie pour Lyssa. Que tu as du courage, que tu as élevé ton enfant seule, sans aucune aide, et que tu en éprouves une rancœur parfaitement justifiée. Que tu es bien dans ta peau, pas inhibée, que tu as un sens de l'humour déjanté et que tu te méfies des hommes, parce que d'après toi, ils ne pensent qu'à te sauter.

– Je reconnais que par moments, ça tombe bien.

Elle pouffa, un gloussement de gamine qui, associé à son corps épanoui de femme, ne fit que durcir encore l'érection de Connor.

– Seigneur, commenta la jeune femme. Tu devrais peut-être aller voir un médecin.

– Eh, je n'ai joui qu'une fois, moi, lui signala-t-il. Et je ne pense pas qu'à te sauter.

La jeune femme se raidit.

– Je n'ai pas d'amis ici, Stacey. À part Aidan.

– Écoute...

Elle se tortilla pour s'asseoir, puis se leva.

Soupirant en son fort intérieur, le géant se leva également et se débarrassa de la capote. Ces précautions ennuyeuses n'avaient aucune raison d'être dans le Crépuscule, où la maladie n'existait pas et où la reproduction se planifiait forcément, mais il ne pouvait le dire à Stacey : elle ne l'aurait pas cru.

– Les *sex-friends*... plein de gens vivent comme ça, mais c'est pas pour moi, déclara-t-elle.

Le géant gagna sans se presser la salle de bains du rez-de-chaussée, où il jeta la capote à la poubelle.

– OK..., articula-t-il en faisant traîner la dernière syllabe.

Puis, il releva la lunette des toilettes et se mit à pisser, la porte ouverte, laissant à la jeune femme tout le loisir d'expliciter son objection.

Appuyée au chambranle, Stacey le regardait avec méfiance. Se soulager de cette manière devant elle était un poil grossier, mais créait aussi une intimité indéniable – exactement ce que voulait Connor. L'intimité. Le lien. Il était prêt à tout pour l'obtenir. Et puis Stacey semblait fascinée au point d'oublier qu'elle n'avait plus que son débardeur sur le dos, et il appréciait immensément la vue de sa quasi-nudité.

– Je n'arrive pas à déterminer si tu es horriblement mal élevé et bouffi d'orgueil, ce que je déteste, ou juste ouvert et sûr de toi, ce que j'adore, murmura-t-elle comme pour elle-même.

– Tu m'adores.

Elle croisa les bras en reniflant.

– Je ne te connais pas aussi bien que tu crois me connaître, et de loin. Le seul point qui soit réellement en ta faveur, c'est que tu es le meilleur ami d'Aidan, qui, l'un dans l'autre, est un mec bien.

Connor lui adressa une grimace moqueuse.

– Tes trois orgasmes n'entrent pas en ligne de compte ?

Elle maîtrisa difficilement un sourire, ce qui le décida soudain à la faire rire aux larmes. Elle était beaucoup trop sérieuse, mais cette carapace protégeait manifestement un cœur vulnérable, que peu de gens avaient la chance de connaître.

– On n'aurait pas dû, reprit-elle.

Il tira la chasse d'eau puis alla se laver les mains. Dans le miroir, au-dessus du lavabo, il observa la jeune femme. Leurs regards se croisèrent et restèrent fixés l'un sur l'autre.

– Pourquoi ça ?

– Parce que nos meilleurs amis vont se marier. On va donc se voir de temps en temps, et ça...

Elle agita une main entre eux.

– ... va être là en permanence. On a couché ensemble, je t'ai vu pisser...

Il s'essuya les mains puis s'adossa au lavabo.

– Tu ne restes pas amie avec tes compagnons de lit ?

Elle mordit sa lèvre inférieure gonflée. Connor n'était pas du genre à embrasser, mais il avait eu très envie de cette bouche... et il avait satisfait son envie. Stacey avait des lèvres pleines, sensuelles, qu'il aurait aimé sentir errer sur tout son corps...

Son sexe, déjà durci par les contractions du dernier orgasme de la jeune femme, se dressa brusquement à cette pensée.

– OK, d'accord.

Elle désigna la verge dressée d'un doigt accusateur.

– Ce truc est complètement obsédé.

Connor éclata de rire, mais s'interrompit abruptement quand elle se joignit à lui. Il ne s'attendait pas à ça, à ce son rauque et grave, comme rouillé, peut-être parce qu'il ne servait que rarement. Rien à voir avec les trilles enfantins de tout à l'heure. Les yeux verts de Stacey étincelaient ; ses joues s'étaient colorées.

– Magnifique, dit-il.

Elle détourna le regard puis pivota pour regagner la salle à manger, où elle ramassa ses vêtements, puis les serra contre sa poitrine en un geste clairement défensif. Le géant s'appuya à son tour au chambranle que la jeune femme venait de quitter.

— Tu n'as pas répondu à ma question.

Elle haussa les épaules.

— J'ai mauvais goût en matière d'hommes.

Il resta muet, se contentant de la dévisager attentivement.

— Je vais prendre une douche.

Au moment où elle le contournait, il l'attrapa par le bras.

— Stacey.

Elle baissa les yeux vers la main qui la retenait puis les releva vers ceux du Viking, sourcils levés.

— Tu aimes la cuisine chinoise ?

La jeune femme battit des paupières avant de lui sourire avec douceur, acceptant le rameau d'olivier.

— Le porc moo shu et les raviolis wonton au fromage.

— Compris.

Elle hésita une seconde, puis hocha la tête et gagna l'escalier.

Il savait ce qui allait se passer : elle allait redescendre d'ici peu, lavée et habillée, ayant effacé toute trace extérieure de ce qui s'était produit. À partir de là, ils reprendraient tout de zéro en faisant comme s'ils venaient de se rencontrer et n'avaient jamais couché ensemble. Il savait que c'était ce qui allait se produire, parce que c'était ce qu'il faisait chez lui dans un cas pareil. Des siècles durant, il avait pris prétexte de l'entraînement du petit matin pour éviter de passer la nuit entière avec ses conquêtes. En ce qui concernait Stacey, il aurait aimé qu'elle leur laisse davantage de temps, mais acceptait sa décision et se demandait même si elle n'avait pas raison. Il valait mieux mettre un point final à l'aventure en la considérant comme une crise de rut inattendue, plutôt que de courir le risque de sombrer dans une situation inextricable.

L'Élite évitait par nature les liens sentimentaux. La plupart des guerriers vivaient seuls, et les rares à essayer de fonder un couple rompaient en général très vite, car le détachement représentait pour eux la clé de la réussite. Les Gardiennes qui avaient le malheur de tomber amoureuses d'un de ces soldats vivaient une histoire d'amour solitaire, déséquilibrée, où leur partenaire se révélait incapable de donner autant qu'il recevait. Dans le cas de Connor s'ajoutait le fait qu'il était tout simplement incapable de se concentrer sur autre chose que sa mission.

– Les Bruce vivent et meurent par l'épée, récita-t-il à voix haute, la devise de sa famille.

Et il ne pouvait en aller autrement.

Ce qui expliquait qu'il soit particulièrement doué pour protéger les sensuelles Rêveuses : la relation était symbiotique. Il endossait un fantasme, se liait à celle qui l'entretenait, lui donnait ce dont elle rêvait et comblait du même coup son propre besoin d'affection. Passer quelques heures de grand amour avec une inconnue lui permettait de ne pas souffrir de rentrer dans une demeure vide, où l'attendait un lit tout aussi vide.

Connor soupira en gagnant la cuisine, où il finit par trouver le tiroir où Aidan et Lyssa rangeaient les menus des services de restaurant à domicile. Ils commandaient si souvent au Peony, un chinois, qu'ils y avaient un compte – Connor le savait pour avoir rendu visite à Aidan dans ses rêves.

Lorsqu'un Gardien entrait en contact avec un faisceau, il lisait dans les souvenirs du Rêveur comme dans un livre ouvert. Tout ce que contenait le cerveau d'Aidan se trouvait aussi à présent dans celui de Connor. L'acclimatation avait été difficile au début, quand des siècles de souvenirs s'étaient déversés en lui – ceux d'Aidan, mais aussi des milliers de Rêveuses qu'il avait protégées à un moment ou à un autre –, jusqu'à ce que Connor apprenne à se concentrer sur les meilleurs pour protéger sa santé mentale.

Les meilleurs, en ce qui concernait Aidan, étaient bien sûr associés à Lyssa, ce qui avait permis à Connor de découvrir l'état amoureux. Lui qui avait été l'objet, des siècles durant, dans des fantasmes, d'un amour délirant, savait maintenant grâce aux rêves d'Aidan ce que c'était que de le rendre.

Il refermait le tiroir après s'être emparé de la carte désirée, quand quelque chose de chaud et doux se frotta soudain contre ses chevilles. Il baissa les yeux. Le chat – Chamallow – tournait autour de ses pieds nus... fait qui lui fit remarquer qu'il ne s'était toujours pas rhabillé. Ça ne le dérangeait absolument pas de se balader à poil seul chez lui, mais il doutait que Stacey apprécie. À vrai dire, il était même sûr que ça la rendrait nerveuse. Posant le menu sur le comptoir, il se décida donc à emprunter des vêtements à Aidan.

À l'instant précis où il arrivait au sommet de l'escalier, la porte de la salle de bains de l'étage s'ouvrit et Stacey s'engagea dans le couloir. Enveloppée d'un nuage de vapeur odorante, elle avait les cheveux dissimulés par un turban blanc et ses courbes par une serviette assortie. Elle leva la tête et le vit tout entier, mais rabaissa aussitôt les yeux. Ils se posèrent sur le chat, qui se roulait impudiquement aux pieds de Connor, puis remontèrent jusqu'au visage du géant tout en s'attardant aux endroits où cette attention suscitait chaleur et durcissement.

De son côté, le Viking jouissait également du spectacle. La douche et les effets thérapeutiques du plaisir avaient fait monter à la peau satinée de la jeune femme une touche de rose. Ses yeux verts aux longs cils avaient l'éclat du jade, ses lèvres pleines le rouge de la cerise, et le nœud du drap de bain qui lui séparait les seins les mettait du même coup en valeur.

La décision de Connor – rester discret et laisser Stacey garder ses distances – fut brusquement balayée par le désir pressant de la sentir se tordre sous lui. Il n'avait personne à qui parler sur ce plan d'existence, personne à qui confier qu'il vivait un enfer, pas de Rêveuse en qui se perdre, pas de frère d'armes avec qui discuter stratégie, il n'était même pas sûr de pouvoir un jour rentrer chez lui ; mais Stacey lui avait permis d'oublier tout ça un moment. Elle lui avait donné une raison de sourire et un centre d'intérêt : elle-même.

D'ailleurs, il s'intéressait à elle à cet instant précis.

— Je montais chercher des fringues, expliqua-t-il en désignant la chambre principale d'un geste vague.

Elle hocha la tête.

— Je redescends dans une minute.

— Bon, acquiesça-t-il maladroitement, surpris des émotions bizarres qui se bousculaient en lui.

Stacey lui tourna le dos et gagna la chambre qu'elle occupait. Fasciné par le balancement aussi naturel qu'harmonieux de sa coupe magnifique Connor n'avait pas bougé. La jeune femme ouvrit la porte et lança, avant de disparaître à l'intérieur :

– Tu me fixes ?

Puis le battant se referma.

– Je sais, murmura le géant.

Et il continua de regarder bien après le cliquetis du pêne.

chapitre 6

Les côtes étaient toujours magnifiques par une belle soirée d'été, et celle-là ne faisait pas exception, mais Aidan se concentrait trop sur sa mission pour jouir du doux éclat argenté de la pleine lune ou de la musique du ressac. Il tourna sans bruit le coin de l'hôtel en direction de la chambre 108. La foule était partout – groupes de jeunes se partageant des bouteilles d'alcool et habillés pour aller en boîte, ou couples plus mûrs sortis pour une promenade romantique sur la plage.

Les témoins potentiels ne lui posaient aucun problème, car il pouvait manifestement se passer à peu près n'importe quoi dans les environs sans que personne n'y prête attention. Avec un juron, Aidan se dit qu'il lui aurait probablement suffi de raconter qu'il avait perdu ses clés dans une situation compromettante, pour qu'on l'aide à entrer dans la chambre. Enfin, une ruse pareille ne serait pas nécessaire. Le guerrier avait purement et simplement forcé le local d'entretien de l'hôtel, heureusement situé au fond d'un couloir hors de vue des clients, et y avait emprunté un passe-partout.

Cet accessoire indispensable en poche, il se dirigea tranquillement vers la pièce qui l'intéressait en sifflotant, les mains dans les poches et l'esprit tourné vers Lyssa qui l'attendait dans la voiture, un Glock chargé sur les genoux. Dans sa tête, le guerrier se la représentait très bien – bouche sensuelle sévèrement pincée et grands yeux sombres durcis par la méfiance. Il aimait la douceur compatissante de la jeune femme, mais aussi sa force, son intelligence et sa capacité à accepter de faire le nécessaire pour leur survie à tous les deux.

Il avait partagé suffisamment de fantasmes à l'eau de rose avec d'innombrables Rêveuses pour savoir que toutes les femmes n'auraient pas géré la situation avec un tel pragmatisme. Beaucoup auraient pleuré, gémi et attendu qu'on vole à leur secours.

Aidan s'arrêta devant la porte qu'il cherchait. De derrière le rideau couvrant la large fenêtre du 108, aucune lumière ne filtrait. Personne. Le guerrier en fut à la fois soulagé et inquiet : au moins, si la Gardienne avait été dans sa chambre, il aurait su où elle se trouvait, alors que là, elle pouvait être n'importe où... y compris avec Lyssa.

Aidan tira le passe-partout de sa poche, le glissa dans la serrure et l'y tourna. Le mécanisme joua sans difficulté, ce qui lui permit d'ouvrir la porte. Il appuya aussitôt sur l'interrupteur mural, allumant la lampe posée sur la table de nuit qui séparait les deux lits, l'un défait, jonché du contenu d'un sac marin vidé sans cérémonie, l'autre fait au carré. Derrière les lits se trouvaient un lavabo surmonté d'un miroir et la porte de la salle de bains.

Personne, en effet.

Aidan entra, referma la porte derrière lui et donna un coup de pied dans le couvre-lit le plus proche. La pointe de sa botte heurta avec un bruit sourd le contreplaqué qui remplaçait le traditionnel cadre en métal, plus cher. Impossible de se cacher là-dessous. Il alla donc jeter un coup d'œil dans la salle de bains pour vérifier qu'on ne lui tendait pas d'embuscade, avant de se consacrer enfin aux objets fort intéressants dispersés sur le matelas. Il y avait là un communicateur, des cartes et des couteaux, ainsi qu'une puce de stockage de données malheureusement sans lecteur. Aidan la prit néanmoins et commença à fourrer son butin dans le sac marin quand il sentit quelque chose de dur et froid au fond du bagage. Son pouls s'emballa. Il s'empara du mystérieux objet pour l'examiner.

La *taza*. Et, à l'intérieur, un paquet minuscule, enroulé dans un tissu épais. Aidan dégagea le petit ballot et l'ouvrit. Un objet métallique apparut, couvert de poussière et de terre incrustées. Le guerrier l'épousseta du bout des doigts, dévoilant de délicates volutes filigranées. Il n'avait pas la moindre idée de ce dont il s'agissait et n'en aurait pas davantage avant la fin du nettoyage, mais l'importance de sa découverte était évidente à des yeux aussi exercés que les siens. Il la remballa, la fourra dans sa poche puis examina de plus près la *taza*.

Elle correspondait très exactement à sa représentation dans le journal des Anciens : c'était une sorte de coupe en métal cabossée, abîmée au fil des siècles, dont le pourtour était ponctué de trous autrefois sertis de pierres précieuses. Aidan ne savait pas encore à quoi elle servait, mais maintenant elle lui appartenait. Il la tenait. Un sourire sincère incurva ses lèvres, révélant le léger sentiment d'accomplissement qu'il ressentait. Il venait de faire un pas de plus vers la vérité... une vérité qui libérerait Lyssa, il l'espérait.

La fouille rapide du placard et de la commode ne lui apporta pas grand-chose de plus. Des vêtements, des bijoux à pointes et à clous, du genre de ceux que la Gardienne arborait un peu plus tôt, mais toujours pas de lecteur. Tant pis, il ne repartirait quand même pas les mains vides.

Aidan posait la bretelle du sac sur son épaule et se tournait vers la sortie, quand il entendit une clé s'introduire dans la serrure. Il se figea une fraction de seconde – le temps de se rappeler que la lumière était parfaitement visible de l'extérieur – puis, laissant tomber son butin à ses pieds, s'accroupit, prêt à tout.

La porte s'ouvrit violemment, dans une explosion de bruit et de mouvement. L'adversaire se jeta sur lui sans hésiter, si rapide qu'il ne vit d'abord qu'un brouillard de cheveux roux et d'ample jupe noire. Un hurlement d'une force et d'une stridence effrayantes fit vibrer l'atmosphère, le stupéfiant et le galvanisant tout à la fois, ce qui le poussa à l'action. Il bondit en l'air à la seconde même où l'arrivante aurait dû le plaquer au sol, tant et si bien qu'ils se heurtèrent violemment. Le choc, assez brutal pour leur arracher à lui un grognement, à elle un cri – peut-être de rage – les secoua tous les deux.

Ils roulèrent à terre enchevêtrés l'un à l'autre, elle balançant des coups de poing, lui ripostant avec une ardeur égale, interdisant à son cerveau de s'apercevoir qu'il avait affaire à une femme. C'était elle ou lui, il n'avait pas le choix.

Lorsqu'elle le fit tomber sur le dos puis se souleva sur une main pour le frapper de l'autre en pleine figure, il aperçut son visage. Brièvement, certes, mais le saisissement ne l'en paralysa pas moins. Il fut même tellement sonné qu'il ne chercha pas à dévier le coup qui s'abattait sur son menton.

La douleur le tira en sursaut de sa transe horrifiée. Les pieds fermement posés par terre, il donna un coup de reins qui fit passer la Gardienne par-dessus sa tête puis, débarrassé de son poids, il roula sur le ventre et avança rapidement sur les coudes pour se laisser tomber sur les jambes de son adversaire. En serrant les dents, Aidan encaissa ses coups de pied. Puis, il recula le bras afin de prendre de l'élan et lui administra à la tempe un coup de poing à assommer un bœuf.

Pourtant, au lieu de s'évanouir, la rousse montra les dents de plus belle et feula comme un fauve.

— Mais qu'est-ce que c'est que ce bordel ? grogna le guerrier, obligé de mobiliser toutes ses forces pour la maîtriser.

À force de sursauts et soubresauts, ils heurtèrent la commode avec une telle violence que le meuble se fracassa contre le mur. L'ennemie lacérait de ses griffes les bras et la chemise d'Aidan. Malgré ses longs siècles d'existence, le guerrier n'avait jamais connu pareil déchaînement. La femme semblait possédée, infatigable, comme si elle puisait son énergie à une source de pouvoir qui la revigorait quand n'importe qui d'autre aurait perdu conscience.

Il n'avait pas le choix.

Une détermination sinistre au fond des yeux, Aidan manœuvra pour se retrouver dans la bonne position et entoura de ses bras la tête de l'enragée, puis pivota brusquement dans l'espoir de lui briser la nuque comme il aurait décapsulé une bière. Cette horrible tâche n'aurait pas dû lui prendre plus d'une minute, mais la rousse se débattait avec une force inouïe, en grondant tel un chien enragé. Toutefois, la douleur aiguë, comme une coulée de feu, qui traversa soudain la jambe d'Aidan fut assez intense pour déclencher en lui l'ultime poussée d'adrénaline qui lui manquait. D'un craquement qui résonna dans toute la pièce, le guerrier parvint enfin à briser le cou de son adversaire. Le silence qui suivit, rompu seulement par les halètements laborieux du vainqueur, avait de quoi glacer le sang.

Aidan contempla le corps sans vie qu'il tenait toujours dans ses bras, cherchant à se persuader de ce qu'il avait vu : des yeux totalement noirs, sans pupilles ni iris, et des dents dangereusement aiguisées, dévoilées par une bouche béante.

Quoi qu'ait pu être son adversaire, ce n'était en rien une Gardienne. Non, strictement en rien.

Au bout d'un moment, le guerrier se remit sur ses pieds... et retomba aussitôt sur un genou en jurant. Lorsqu'il baissa les yeux vers sa jambe affaiblie, il s'aperçut qu'une dague y était plantée... ce qui expliquait la brusque douleur ressentie un peu plus tôt.

— Et merde !

Une fois débarrassé du poignard, il déchira une bande de coton à la jupe noire pour s'en faire un bandage de fortune. La blessure ne serait plus le lendemain matin qu'un mauvais souvenir, mais il faudrait attendre jusque-là.

– Saleté.

Il considéra la *chose* étendue à terre.

– Comment je vais sortir ce truc de là avec ma jambe dans cet état ?

Il était pourtant hors de question de laisser la rousse dans la chambre. D'une part, elle n'était pas humaine ; d'autre part, il n'avait aucune envie d'être accusé de meurtre.

Il se releva, lourdement appuyé à la télé, car la chambre tournoyait autour de lui. Il absorbait autant d'oxygène que s'il venait juste de courir un marathon, et maintenant que la poussée d'adrénaline retombait, il prenait conscience de ses multiples plaies et bosses. Sans compter que sa jambe lui faisait un mal de chien.

Malgré son état, il réussit à ramasser le sac marin puis à jeter sur son épaule le poids mort indésirable, avant de quitter la pièce.

Il avait déjà dépassé plusieurs chambres quand un groupe de jeunes gens en mode séducteur tourna le coin de l'hôtel, juste devant lui.

– Qu'est-ce qui se passe, mec ? lui demanda l'un des fêtards.

– Je lui ai dit d'arrêter au cinquième verre, mais elle ne m'a pas écouté, expliqua Aidan en ralentissant le pas. Après, ç'a été la cata. Tout ce que j'espère, c'est qu'elle ne va pas me vomir dans le dos avant que j'arrive à notre piaule.

– Pas de bol, lança un des autres jeunes, compatissant. Ça commence juste à bouger en boîte, et toi, ta nuit est foutue. Surtout que tu ne risques pas de baiser non plus, à moins de la lourder.

– Si seulement je pouvais, répondit Aidan, avec la plus parfaite sincérité.

Ses interlocuteurs éclatèrent de rire, puis lui conseillèrent de « laisser cette conne à la maison la prochaine fois ».

– Excellente idée, marmonna-t-il en s'éloignant.

Le trajet de la chambre à la Honda Civic vert foncé de location fut long, beaucoup plus long que celui de la Honda Civic à la chambre.

Lyssa descendit de voiture dès qu'elle le vit arriver, remit la sûreté du Glock et s'empressa de le glisser à sa ceinture, dans le dos de son short en jean. Ses cheveux blonds mi-longs étaient sagement coiffés en queue de cheval, son T-shirt blanc très court dévoilait son ventre plat, elle ne portait pas un gramme de maquillage et Aidan sut qu'il n'avait jamais rien vu de plus beau de toute sa vie. Rien de ce qu'il faisait pour la protéger ne pouvait lui inspirer le moindre regret.

– Mon Dieu.

Elle battit des paupières à toute vitesse.

– Tu l'as *enlevée* ?

– Quelque chose comme ça.

Il ne put retenir un grognement quand il trébucha sur la route de terre défoncée.

– Qu'est-ce qu'il y a ? Oh, merde ! Tu saignes !

– Ouvre la portière arrière, ma belle.

– Pas de « ma belle » qui tienne, marmonna-t-elle même si elle s'empressait d'obéir. Tu n'es pas censé te faire blesser !

– Oui, bon, mais ça vaut mieux que de se faire tuer comme notre copine, là, non ?

Le guerrier sentit la vague d'horreur et d'égarement qui s'abattait sur la jeune femme.

– Oh, mon Dieu... elle est *morte* ? Et tu la mets dans la voiture ?

Paralysée de stupeur, Lyssa le regarda allonger leur passagère sur la banquette.

– Mais qu'est-ce que je raconte ? reprit-elle enfin d'une voix aiguë trahissait l'intensité de son émotion. On est obligés de l'emmener avec nous. On ne peut pas la laisser là. N'est-ce pas ?

– Non.

Aidan se redressa pour faire face à la jeune femme, dont les yeux semblaient immenses dans le visage blême aux lèvres livides. C'était la première fois qu'elle était confrontée de manière irréfutable à ce qu'il était : un guerrier, qui tuait si nécessaire.

– Ça va aller ?

Elle inspira brusquement, tandis que son regard se posait sur le corps, dans la voiture.

– Oui.

– Et *nous*, ça va aller ? insista-t-il sombrement.

Elle le considéra, les sourcils froncés, puis son visage s'éclaira.

– Oui. Je sais que tu l'as fait pour moi. Pour nous. C'était elle ou toi, hein ?

– Oui.

Il avait envie de la toucher, de lui caresser la joue et de l'attirer contre lui pour respirer l'odeur de sa peau, mais il se sentait sale. Il ne voulait pas poser les mains sur elle avant de s'être lavé.

– Et puis tu sais, ce n'est pas d'elle dont je suis amoureuse. Donc, en ce qui me concerne, tu as fait le bon choix.

Un petit rire soulagé échappa à Aidan, dont le corps se détendit brusquement.

– Oh, et elle avait la *taza*. C'est qui est foutrement pratique, puisque ça nous évite d'aller à Ensenada.

Reprenant son calme, Lyssa releva la tête et redressa le dos.

– Je sors l'équipement ?

Sachant que le danger faisait partie de leur vie, ils avaient eu la prudence de se munir d'une trousse médicale d'urgence.

– Pas ici.

Aidan guérissait nettement plus vite qu'un être humain, mais certaines plaies mettaient longtemps à cicatriser, même chez lui, à moins que quelques petits points de suture ne donnent un coup de pouce à son organisme.

– Retournons à la frontière, on s'arrêtera dans un coin tranquille.

Dans le coffre de la voiture se trouvait une pelle, partie intégrante d'un kit militaire que le guerrier avait déniché dans un magasin des surplus de l'armée. Aidan savait que Lyssa y pensait aussi.

– Et la statue de McDougal ?

– Je lui dirai que je me suis fait agresser et tabasser, ce qui nous a obligés à écourter notre voyage.

– Un grand costaud comme toi ? demanda-t-elle, sceptique.

– Il ne peut pas prouver le contraire, fit remarquer Aidan avec un haussement d'épaules.

— C'est vrai.

Elle descendit de voiture et alla lui ouvrir la portière du côté passager.

— Bon, ne traînons pas.

Il perdit la bataille pour garder ses distances et l'embrassa sur la joue, avant de s'installer maladroitement dans la voiture.

— Je t'aime, dit-elle.

— Merci.

Il la regarda dans les yeux.

— J'avais besoin que tu me le dises.

— Je sais, répondit-elle après lui avoir soufflé un baiser.

Une minute plus tard, ils prenaient la route du Nord.

*
* *

Stacey observait Connor engloutir un peu plus de poulet kung pao, alors qu'il avait déjà vidé la plupart des plats chinois dispersés sur la table basse. À l'aide de ses baguettes, la jeune femme piqua un ravioli wonton au fromage.

— C'est la première fois de ma vie que je vois quelqu'un manger autant en un seul repas, lança-t-elle avec ironie.

Le géant lui adressa son grand sourire de gamin qui lui noua l'estomac.

— Tu te défends bien aussi. J'aime.

— Mes hanches non.

— Tes hanches ne savent pas ce qui est bon pour elles.

— Ha.

Connor lança à son interlocutrice un regard de fausse réprimande, puis joua des baguettes avec adresse pour porter à sa bouche un autre morceau de poulet. Les yeux de Stacey se posèrent sur son torse nu, dont elle admira les abdominaux bien dessinés, d'une beauté virile. Le géant venait d'avaler de quoi nourrir Justin et elle pendant une semaine, mais il avait toujours un beau ventre plat, ferme et tendu.

Magnifique.

Elle n'arrivait pas à intégrer le fait qu'ils avaient couché ensemble, même si elle en avait encore des fourmillements partout. Assis par terre, en tailleur, dans le salon, ils regardaient *La Momie*, un de ses films préférés. Stacey adorait les films d'action truffés de combats, avec en prime un héros beau et romantique. Connor avait dit qu'il aimait ça aussi, mais il passait plus de temps à la regarder, elle, que l'écran. Elle aurait pourtant cru qu'il se lasserait de sa petite personne après avoir couché avec elle – au moins un peu – mais il avait l'air encore plus intéressé qu'avant. Elle devait d'ailleurs reconnaître qu'il l'intriguait aussi.

— Bon, qu'est-ce que tu fais ici ? lui demanda-t-elle en posant son coude sur la table, le menton dans sa main.

— J'ai des choses à dire à Aidan.

— Tu ne pouvais pas lui passer un coup de fil ?

Il secoua la tête en souriant.

— J'ai essayé. Il ne se rappelle jamais ce que je lui raconte.

— C'est très masculin, se moqua-t-elle.

— Attention à ce que tu dis, mon cœur.

« Mon cœur »... Elle aimait bien qu'il l'appelle comme ça. Son accent donnait de la sincérité à ce mot tendre pourtant banal.

– Tu es un ancien des forces spéciales, toi aussi ?

– Oui, répondit-il avec une certaine mélancolie.

– On dirait que ça te manque.

– Ça me manque, c'est vrai.

Il s'empara sans prévenir de la moitié de ravioli posée dans l'assiette de Stacey et l'avala.

– Hé ! protesta-t-elle. Il en reste des tout frais dans la boîte.

– Ils ne sont pas aussi bons.

Comme elle fronçait les sourcils, il lui tira la langue, malicieux. À l'écran, Rock O'Connell luttait contre une foule de pestiférés. Elle regarda un moment le film, avant de demander :

– Et maintenant que tu n'es plus militaire ou je ne sais quoi, qu'est-ce que tu fais ?

– La même chose qu'Aidan.

Elle avait essayé de soutirer à Aidan le nom d'une section reconnue de l'armée de son pays, mais il était resté bouche cousue. D'après Lyssa, c'était méga top-secret.

Et alors ? avait riposté Stacey. *S'il me le dit, il faut qu'il m'abatte juste après ?*

Bien sûr que non, avait répondu Lyssa en riant.

Parce que vous savez, je meurs *de curiosité, Doc,* avait insisté Stacey. *Il ferait mieux de me le dire. Ce serait une manière plus sympa de m'en aller.*

Aidan n'avait évidemment pas mis fin à ses souffrances, et Connor ne les abrégerait pas davantage, elle le savait. Il faisait en ce moment la même tête que son copain, comme s'il redoutait les questions qui n'allaient pas manquer de suivre.

– Dans les romans d'amour, les agents secrets se reconvertissent en spécialistes de la sécurité haute technologie quand ils prennent leur retraite. Ils ne deviennent pas... chercheurs... ou acheteurs d'antiquités pour millionnaires.

Connor s'essuya les mains puis se laissa aller en arrière, appuyé sur ses bras tendus. L'ample pantalon de pyjama à rayures qu'il avait enfilé livrait son torse nu à l'examen de Stacey. Son corps était manifestement une machine bien huilée, capable de soulever le poids de la jeune femme comme si de rien n'était. Les muscles jouaient dans ses épaules à la carrure impressionnante, et ses biceps...

Elle en avait l'eau à la bouche. Ce type était d'une beauté sauvage. Rien de tempéré en lui, de raffiné. Même au repos – là, par exemple –, il restait en alerte, elle le sentait, plein d'une telle énergie contenue qu'il était prêt à bondir en permanence.

– Tu me fixes, ronronna-t-il, ses yeux bleus fixés sur elle avec une attention de prédateur.

Si elle l'encourageait, ne serait-ce que de manière infinitésimale, elle se retrouverait nue en moins d'une minute.

Cette image la fit frissonner.

– Je sais, répondit-elle, comme lui un peu plus tôt.

Un demi-sourire arqua la bouche outrageusement sensuelle de Connor.

– Donc... tu es en train de me dire que parce que je n'installe pas de systèmes de sécurité high-tech, je ne peux pas être le héros d'un roman d'amour ?

Oh, il avait tout du héros de roman d'amour. En apparence, du moins. Et au lit.

– Je n'ai pas dit ça.

Elle haussa les épaules, gênée, et se contraignit à regarder l'écran. C'était une véritable torture de détourner les yeux de cette peau dorée, mais l'instinct de survie l'exigeait.

– Je dis juste que ça m'étonne de voir des gars comme Aidan et toi se lancer à la recherche de vieilleries pour le compte de vieux types qui ne savent pas quoi faire de leur argent. J'aurais cru que vous trouveriez ça ennuyeux, après le... la vie excitante que vous avez menée.

– Le marché noir n'est pas sans danger, la contredit doucement le géant. Il suffit que quelque chose intéresse plusieurs personnes pour que ça tourne mal. Et si la chose en question les intéresse *vraiment*, ça peut devenir meurtrier.

– Ton travail ne me fait pas rêver, constata-t-elle en lui jetant un coup d'œil.

Connor pinça les lèvres, avant de lâcher :

– Dans ma famille, on devient tous militaires. C'est comme ça.

– Sérieux ?

– Oui, avoua-t-il, avec un petit haussement d'épaules qui fit merveille sur ses pectoraux.

– Mais tu n'as jamais eu envie de faire autre chose ?

– Je n'y ai jamais pensé.

– C'est triste, Connor.

Qu'elle ait prononcé son nom les choqua tous les deux. C'est en voyant battre les cils du géant un peu trop rapidement que Stacey compris qu'il avait été touché. Quant à elle, force lui était d'admettre qu'elle ne pensait pas du tout à lui en amie... mais de manière franchement obscène. Elle mourait d'envie d'embrasser et de mordiller toute cette peau si appétissante, de toucher ces cheveux de miel un peu trop longs, qui bouclaient au creux de la nuque et au-dessus des oreilles, d'y passer les doigts...

– Et toi, c'est quoi, ton rêve ? demanda-t-il d'un ton si intime qu'elle n'en fut que plus ensorcelée.

Il montra d'un petit signe de tête les manuels outrageusement chers posés, inutiles, sur la grande table.

– Tu travailles à le réaliser ?

Elle faillit répondre par l'affirmative, dans le cadre de la révision positive d'elle-même à laquelle elle œuvrait, mais finit par lui révéler quelque chose qu'elle n'avait jamais confié à personne, pas même à Lyssa :

– J'aurais voulu être romancière.

Il la considéra avec une surprise évidente.

– Ah bon ? Et qu'est-ce que tu aurais écrit ?

– Des romans d'amour, avoua-t-elle, le visage en feu.

– *Vraiment* ?

À lui d'avoir l'air sidéré. Il faisait ça très bien.

– Oui.

– Et qu'est-ce qui s'est passé ?

– La vie est passée.

– Mmh...

Gênée, Stacey tournait et retournait entre ses mains un gâteau chinois qui avait changé de forme. Le géant se redressa et, à la surprise de la jeune femme, sauva la pâtisserie en nouant ses grands doigts aux siens. La main de Stacey semblait minuscule dans celle, chaude et réconfortante du Viking. L'homme faisait au moins deux fois sa taille et pouvait pourtant se montrer si doux...

– C'est la dernière chose à laquelle je m'attendais.

– Je sais.

– Tu es tellement pragmatique.

– Si seulement.

– Tu as renoncé à ton rêve ?

Elle fixait l'endroit où leurs deux corps se touchaient. La peau de Conor était nettement plus foncée que la sienne, ses phalanges parsemées de poils dorés presque indiscernables...

– Bien sûr, finit-elle par dire. C'était idiot, de toute manière.

Connor se demanda que répondre. Ce qu'elle déniait semblait pourtant compter beaucoup pour elle. Il n'était ni Soigneur, ni Guérisseur et ne savait pas plus parler aux femmes. À part pour les séduire. De toute façon, quand elles venaient le trouver, ce n'était pas pour discuter. Il se contenta donc de caresser de son pouce calleux la paume douce de la jeune femme.

Le contact, si chaste fût-il, réveilla ses sens. Lorsqu'il effleura le pouls de Stacey au niveau de son poignet, la rapidité de ses pulsations lui apprit que l'excitation l'envahissait elle aussi, mais ils restèrent tranquillement assis l'un près de l'autre, malgré leur souffle qui s'emballait. Profitant simplement du doux battement dans ses veines, Connor se sentait bien.

Mais soudain, la sonnerie du téléphone retentit et réduisit à néant ce moment partagé.

Comme si elle se réveillait, Stacey cligna des yeux puis se leva.

— Aidan a appelé dans la journée, pendant que tu dormais. C'est sans doute lui.

Connor se leva à son tour et la suivit dans la cuisine, où elle décrocha le combiné, découvrant l'identité de l'appelant : *Best Western Big Bear.* La tension qui envahit la jeune femme la noua tout entière.

Elle porta le téléphone à son oreille.

— Bonsoir, mon poussin...

Connor posa les deux mains sur les frêles épaules de Stacey et se mit à la masser en douceur, luttant contre la crispation qui s'emparait des muscles de la jeune femme.

— Mais il y a école, objecta-t-elle au bout d'un moment, déclenchant une rafale de protestations à Big Bear. Oui, je sais que ça fait longtemps...

Sa poitrine se souleva puis retomba sur un soupir silencieux.

— Bon, d'accord. Tu as jusqu'à lundi soir.

L'excitation soulevée par sa capitulation s'entendait à travers l'écouteur.

— Oui, oui.

Elle faisait de son mieux pour avoir l'air enchantée.

— Je suis très contente que tu t'amuses autant... Je t'aime aussi. Ne prends pas froid, pense à mettre l'écharpe que Lyssa t'a offerte à Noël. On pensait pas que tu t'en servirais, hein ? ajouta-t-elle avec un petit rire peu convaincant. Évidemment... Ne t'en fais pas, je regarde *La Momie*... Je sais, je sais, c'est au moins la centième fois, mais c'est un bon film, tu sais ! Oui, oui... Bonne nuit, mon chéri... Je t'aime.

Quand elle raccrocha, son bras retomba le long de son corps dans un geste de découragement absolu.

– Hé, murmura Connor en caressant ce bras inerte sur toute sa longueur, jusqu'à la main tenant le téléphone qu'il retira des doigts affaiblis de Stacey avant de le reposer sur le comptoir. Tout va bien. Il ne va pas tarder à rentrer.

– Justement, contra-t-elle en lui faisant face uniquement parce que la prise du géant sur ses épaules l'y obligeait. Je ne suis pas sûre qu'il rentre... ni qu'il continue de vivre avec moi après.

Connor contempla son petit visage triste, au nez rosi et à la bouche tombante. Posant doucement la main contre la joue de la jeune femme, il passa le pouce sur sa pommette.

– Il a quatorze ans, continua-t-elle, désespérée. Il a besoin d'un père, d'un homme à imiter, à prendre en exemple. Tommy vit à Hollywood, une ville fascinante où il se passe toujours des tas de choses. Justin déteste la vallée. Il dit que c'est un trou, et pour un gamin de son âge, c'est exactement ça. Je me suis installée à Murrieta parce que c'était calme et bon marché – j'ai pu acheter une maison et faire des économies sur mes impôts – et puis les adolescents du coin ne risquent pas grand-chose...

– Tu vois ? Pragmatique, comme je disais.

Et courageuse. Solide. Il ne pouvait que l'admirer.

Le sourire forcé qu'elle lui accorda lui fit l'effet d'un direct au foie. Il ne voulait pas qu'elle se sente obligée de lui montrer ce genre de façade. Ce qu'il voulait d'elle, c'était tout son être dans sa vérité. Voilà que Connor Bruce, le guerrier à qui il ne fallait surtout pas parler sentiments, voulait que Stacey lui montre tous les siens.

— Si Tommy se met dans la tête de devenir père à temps plein, Justin ira vivre chez lui, continua-t-elle, au bord des larmes. Ils sont aussi gamins l'un que l'autre. Ils s'éclateront, tous les deux.

Elle baissa la tête et ses traits disparurent derrière une masse de boucles sombres.

— Tommy me traînera sans doute en justice pour que je lui verse une pension alimentaire, parce que ça lui facilitera la vie. Mais je lui enverrai de l'argent de toute manière, même s'il ne le fait pas. Sinon, ils n'auraient rien à manger, ou juste un repas par jour sur un tournage... En admettant que Tommy ait du travail, pour une fois!

Le sanglot étouffé de la jeune femme poussa Connor à faire la seule chose qu'il pouvait: il la prit par le menton et lui releva la tête pour l'embrasser. D'un simple baiser bouche contre bouche, rien de plus. Sans rien lui demander, il lui offrait un peu de réconfort de la seule manière qu'il connaissait.

— Tu t'emballes, mon cœur, murmura-t-il en frottant son nez contre celui de Stacey.

— Je suis désolée.

Elle lui rendait ses baisers, mais doucement, tout doucement, à peine.

— Je suis à l'ouest, aujourd'hui. Les hormones, sûrement. Je te jure que je suis pas comme ça, d'habitude.

— Aucun problème.

Ce qui, étonnamment, était vrai.

Il recula d'un pas, se baissa, la prit par les genoux pour la soulever de terre, puis traversa sans la reposer la salle à manger jusqu'au salon, où il se laissa tomber avec elle sur le canapé rembourré. Elle s'emboîtait parfaitement à lui, corps sensuel serré contre son torse nu. Connor posa son menton sur la tête de la jeune femme et se mit à la bercer.

Prendre et donner. Le lien qu'il avait essayé d'établir un peu plus tôt et dont il avait tellement besoin se renouait, sans qu'il n'y ait besoin de sexe, renforcé par leur union fiévreuse. L'avidité animale apaisée, ils avaient exprimé d'autres émotions, s'étaient dévoilés l'un à l'autre, compris et soutenus.

– Merci, murmura Stacey d'un ton las en se blottissant étroitement contre lui.

Quelques minutes plus tard, sa respiration brève et régulière apprit au géant qu'elle avait rejoint le Crépuscule. Elle était chez lui, là où il aurait voulu aller. En train de rêver.

Et de lui, il l'espérait.

chapitre 7

Connor parcourait d'un pas rapide le boyau rocheux menant à la caverne principale. Plus il s'en approchait, plus l'humidité croissait, à cause du lac souterrain dissimulé par la corniche de pierre. L'odeur de mousse et de moisi qui flottait dans le complexe lui faisait regretter sa vie d'autrefois, à l'air libre, une vie à laquelle participaient les femmes, le vin et un bon petit combat quand il en avait besoin.

Et des portes aussi, pour entrer ou sortir. Ce qui était bien pratique.

Connor n'avait aucune envie de plonger dans les eaux froides, mais il allait y être obligé. Comme la température arctique du lac compressait les poumons, remonter vers la surface représentait une véritable torture. Et contrairement au reste du Crépuscule, l'eau du lac ne pouvait être influencée par la pensée. On pouvait souhaiter, ordonner, espérer tout ce qu'on voulait, le bain glacé ne devenait jamais plus supportable. Le capitaine se contenta donc de saluer ses hommes, de vérifier que son glaive était bien au fourreau accroché à son dos, puis de se jeter à l'eau.

Un long moment plus tard, il en émergea hors d'haleine, secoué de violents frissons, se hissa sur la berge sablonneuse à quatre pattes, puis se remit sur pied.

L'impression de déjà-vu qui s'empara de lui ne l'empêcha pas de se relever, mais le déconcerta au point qu'il ne prit conscience d'une présence hostile que lorsqu'il fut jeté à terre.

Il s'écroula sur le dos, un corps plus mince noué au sien, pendant que son rugissement de rage résonnait à la surface du lac et le libérait de sa tension croissante. Ses contorsions et sa lutte désordonnée finirent par le faire retomber à l'eau avec son assaillant, dans une explosion d'éclaboussures qui leur cingla la peau. Connor attrapa l'adversaire par ses vêtements pour le tirer sans cérémonie sur la rive.

– Attends ! cria Sheron.

Son ancien élève tendit la main par-dessus son épaule pour dégainer son glaive.

– Nous avons déjà vécu ça, vieil homme, gronda-t-il.

– Mais la discussion n'est pas close.

– Alors parlez, avant que je ne perde le peu de patience qu'il me reste.

L'Ancien repoussa son capuchon trempé.

– Tu te rappelles ce que je t'ai dit ? Que nous avons réussi à établir des faisceaux au Temple ?

– Oui.

– Et que le seul endroit du Crépuscule à l'abri des Cauchemars est la caverne dont vous vous êtes emparés ?

– Aussi.

– Les Cauchemars ont infiltré les faisceaux du Temple, Bruce. Ils se sont fondus aux Gardiens en transit pour ne plus faire qu'un avec eux.

– Putain de merde !

La main de Connor se crispa sur la poignée de son glaive, tandis que la sueur perlait à son front.

– Voyagent-ils à volonté, maintenant ? Les humains sont-ils en danger ? Avons-nous été lamentables jusqu'au bout, en infectant leur monde aussi bien que leurs rêves ?

– Autant que je sache, non. Contrairement aux faisceaux de la caverne, ceux du Temple ne s'ouvrent que par intermittence, brièvement, juste le temps de permettre le saut. Ensuite, ils se referment.

– Comment avez-vous deviné ce qui se passait ?

– Nous avons mené des expériences avec un garde, en lui imposant des allers-retours rapides... ici, là-bas, etc.

Connor se mit à faire les cent pas.

– Quand nous avons appliqué le même procédé à d'autres, il est vite apparu que certains avaient un problème. Au début, nous avons cru que c'était à cause du lieu...

– Parce que vous n'étiez pas dans la caverne.

– Oui. Mais ils ont commencé à changer. Physiquement. Émotionnellement. Mentalement. Ils se sont mis à provoquer peur et tristesse autour d'eux. Et à aimer ça. Ils sont devenus violents, cruels. La couleur de leurs yeux s'est modifiée. Ils ont arrêté de manger.

– Putain...

– Et nous avons compris ce qui se passait. Les Cauchemars, à l'intérieur des Gardiens, prenaient progressivement le contrôle et les poussaient à perpétrer des abominations pour se nourrir des émotions négatives suscitées.

Depuis que les Cauchemars avaient découvert le subconscient humain, grâce à la fissure ouverte par les Anciens, ils se nourrissaient de l'énergie émanant de l'esprit des mortels. Peur, colère, désespoir – autant d'émotions faciles à susciter par le rêve et dont ils se régalaient.

Connor baissa son épée et se frotta le menton d'une main.

– Il y en a combien, de ces trucs ?

– Il y avait une douzaine de Gardiens infectés à l'origine, mais tu as tué le dernier aujourd'hui.

– La vie vous fait parfois de ces petites faveurs, ironisa-t-il.

Sheron décrocha le fourreau qui pendait à sa taille trop mince et vida l'eau qui s'y était infiltrée. Il rengaina ensuite son glaive et se dirigea vers un rocher. Une piste de gouttes s'étirait derrière lui.

– Qu'est-ce que vous ne me dites pas ? reprit Connor en lui emboîtant le pas, l'épée à la main.

Il ne faisait pas confiance à l'Ancien. Il ne lui faisait plus *confiance. Ce qui était plutôt triste, étant donné qu'il lui aurait autrefois confié sa vie sans hésiter.*

– Ce que je suis venu te dire.

Le vieillard s'assit sur un gros rocher en étalant autant que possible sa robe trempée autour de lui.

– Étant donné que les symptômes de la possession cauchemardesque ne sont pas apparus tout de suite, nous avons cru les essais concluants. Nous ne nous sommes pas souciés d'éventuels effets secondaires, tout ce que nous voulions, c'était faire voyager nos troupes. Un autre contingent de gardes et d'Anciens s'est donc rendu dans le monde humain avant que le problème ne nous apparaisse dans toute son ampleur.

Les entrailles de Connor se nouèrent.

– Vous n'avez qu'à les ramener, bordel !

– Ce n'est pas possible. Quand nous avons compris notre erreur, il était trop tard, les Gardiens avaient tellement changé qu'ils ne pouvaient plus remonter leur propre fil. Ils n'étaient plus les mêmes qu'avant leur départ. Nous n'avons réussi à rapatrier que ceux qui n'étaient pas infectés.

– Mais qu'est-ce que vous avez fait, bon sang ? Y'en a encore combien, de ces choses, dans la nature ?

– Dix de nos subordonnés se sont révélés incapables de revenir. Depuis, nous en avons envoyé vingt autres. Un pari. Nous espérons que les non-contaminés élimineront ceux qui le sont. Cross s'attend que des Gardiens le pourchassent, mais il n'a aucune idée de l'existence des hybrides.

Avant la rébellion, Aidan était capitaine et Connor son lieutenant. Ensemble, ils dirigeaient l'Élite avec une précision sans faille. La vie était si simple alors... Maintenant, tout était affreusement compliqué.

– Pourquoi me racontez-vous tout ça ? demanda Connor, méfiant.

– Je ne souhaite pas la mort de Cross.

– Mais celle de la Clé, si. Et vous ne pourrez pas la tuer sans tuer Cross d'abord, je vous le garantis.

– Nous nous occuperons de ce problème le moment venu.

– Tu parles !

Connor partit comme une fusée, s'envolant littéralement avant de s'écraser contre le torse de l'Ancien, l'épaule la première.

Sheron ferait un très bon otage.

Les deux hommes roulèrent dans le sable...

Connor se réveilla en sursaut, haletant, tirant aussi du sommeil la jeune femme aux courbes sensuelles blottie dans ses bras.

– Hein... balbutia-t-elle d'une voix enrouée.

Le faible éclat de l'écran télé permit au géant de voir qu'elle tournait la tête vers lui. Ils étaient allongés sur le canapé, lui contre le dossier, elle contre lui.

— Ça va ? Tu as fait un cauchemar ?

Il se redressa, puis l'enjamba avec précaution.

— Oui.

— Tu veux un thé ou quelque chose comme ça ?

— Non.

Il se pencha pour l'embrasser sur le front.

— Rendors-toi. Je viens de me rappeler quelque chose d'important et je le note juste pour ne pas l'oublier.

Il gagna le comptoir de la cuisine, alluma les lampes encastrées au-dessus, s'empara du calepin qui y était posé puis s'installa à la grande table, où il prit le stylo oublié sur un des manuels de Stacey avant de se lancer à la recherche d'une page vierge.

Son pouls ralentit pendant qu'il faisait défiler les portraits d'Aidan, dessinés avec amour. Son souffle se fit plus profond, plus régulier. L'homme qu'il contemplait n'était pas celui au côté duquel il s'était battu des siècles durant. L'amant que Lyssa représentait avec précision avait l'air plus jeune, plus heureux. Ses yeux brillaient, les rides creusées par le stress dans son visage se devinaient à peine.

Connor l'examina un long moment, jusqu'à ce qu'un bruit attire son attention sur le canapé. Il se retourna. Couchée en chien de fusil, les paupières papillotantes, Stacey se rendormait.

Il sourit, constatant une fois de plus que la simple présence de la jeune femme dissipait l'angoisse glacée que suscitaient ses rêves. Il était incroyable de voir comme une femme pouvait apporter chaleur et réconfort à un homme. Lyssa avait ainsi transformé Aidan d'une manière stupéfiante.

Connor n'en était que plus décidé à mener sa mission à bien.

Il n'était pas là pour s'amuser. Ce qu'il ferait sur ce plan d'existence mettrait son peuple en sécurité et lui permettrait, à lui, de tenir la promesse qu'il s'était faite: protéger les Rêveurs des erreurs des Anciens.

Concentré sur la tâche à accomplir, il considéra la page blanche qui attendait ses notes et rassembla ses pensées.

Aidan ne se rappelait jamais de ce qu'on lui disait dans ses rêves. Comme Connor n'avait aucune raison de penser que leurs deux cerveaux fonctionnaient différemment, ses deux «rencontres» avec Sheron devaient être le produit de son imagination.

Sauf qu'il était impossible que l'histoire fantastique que lui avait débitée l'Ancien sorte de son propre esprit. Pourquoi aurait-il inventé des conneries pareilles ? Et puis il avait plus de muscles que de cervelle, il le savait bien.

Ce qui laissait la possibilité que les Anciens connaissent une méthode dont les Gardiens n'étaient pas informés... ou peut-être que Wager avait réussi à soutirer d'autres informations à la base de données...

Troublé et vaguement horrifié par toutes ces hypothèses – celle que son rêve ne soit que la vérité n'étant pas des moindres –, Connor se mit à écrire.

Le claquement d'une portière et le grondement lointain d'une porte de garage motorisée tirèrent Stacey du sommeil. Mal réveillée, douillettement installée, elle mit une bonne minute à se rappeler où elle se trouvait. À vrai dire, elle frottait encore ses paupières lourdes avec ardeur quand elle s'aperçut en remuant qu'elle était enveloppée d'un cocon de grand mâle endormi.

Son cerveau se mit lentement au travail, enregistrant l'un après l'autre le bras puis la jambe posés sur elle, la bouche douce et le souffle chaud qui caressaient son épaule ainsi que l'érection matinale qui se pressait avec insistance contre ses fesses. Ils étaient couchés – emboîtés – sur le canapé du salon, le menton de Connor posé sur ses boucles brunes, le corps athlétique à demi drapé autour du sien. Vu sa frilosité, elle se blottissait en temps normal sous une bonne couverture, mais son compagnon dégageait une telle chaleur qu'elle avait l'impression d'être allongée contre un fourneau. Malgré son pyjama léger, elle n'avait pas froid du tout.

Stacey cligna des yeux, en balaya la salle à manger puis atteignit la cuisine où deux visages stupéfaits lui rendirent son regard.

— Euh...

Elle referma brusquement la bouche, horrifiée à l'idée que son haleine matinale monte aux narines de Connor, et chercha à se dégager de son étreinte. Il avait beau être en pyjama, lui aussi, la situation n'en était pas moins embarrassante. Jamais ils ne pourraient faire comme s'il ne s'était rien passé entre eux.

Les contorsions de Stacey tirèrent au dormeur un grognement mécontent. Une grande main se posa sur son sein gauche dont le mamelon, enchanté de l'attention, s'épanouit de manière aguicheuse dans la paume caressante. La réaction du sexe pressé contre ses fesses fut on ne peut plus prévisible.

– Mmmh... murmura Connor d'une voix rauque, en se serrant davantage encore contre elle et en agitant les hanches de manière très suggestive.

Aidan et Lyssa les dévisageaient, bouche bée.

– Arrête ! siffla Stacey, plus embarrassée que jamais, en donnant une bonne claque sur la main baladeuse. Ils sont rentrés.

Elle sentit parfaitement quand Connor enregistra l'information car il se raidit contre elle, poussa un juron presque inaudible, puis leva la tête pour regarder par-dessus son épaule.

– Cross.

– Bruce, répondit Aidan d'un ton sec.

Stacey s'extirpa enfin de l'étreinte relâchée de son compagnon et atterrit sans cérémonie à quatre pattes, entre le canapé et la table basse.

– Dites donc, vous êtes en avance, lança-t-elle avec un entrain forcé, pendant que Connor se levait et l'aidait à se redresser elle aussi. Le voyage s'est bien passé ?

Il valait mieux faire comme si de rien n'était. Ça marchait souvent, au moins momentanément.

– Je me suis fait poignarder à la jambe, marmonna Aidan.

– Et je l'ai aidé à enterrer un monstre, compléta Lyssa, frissonnante.

Ce fut au tour de Stacey de rester bouche bée. Ses yeux se posèrent sur le bandage blanc qui dépassait du short d'Aidan, juste au-dessus du genou.

– Mon Dieu ! s'exclama-t-elle en contournant la table de salon à toute allure, avant de se rappeler qu'elle ne portait pas de soutien-gorge.

Le visage en feu, elle croisa les bras sur sa poitrine. Une seconde plus tard, le plaid en chenille du canapé, se posa sur ses épaules. Elle jeta à Connor un regard reconnaissant auquel il répondit par un sourire amer.

– Va t'habiller, lui dit-il alors que, déjà, il avait reporté son attention sur Aidan.

– Je t'accompagne, lança aussitôt Lyssa. J'ai absolument besoin d'une bonne douche !

Stacey fronça les sourcils en prenant conscience de sa pâleur et des cernes sombres qui soulignaient ses grands yeux. Lyssa n'avait plus eu aussi mauvaise mine depuis qu'Aidan était entré dans sa vie.

– Ça se voit, Doc.

Les deux femmes gagnèrent l'escalier ensemble tandis que Connor ne bougeait pas, fièrement planté sur ses deux pieds malgré la manière dont il était « habillé », lui aussi. Son regard rivé à celui d'Aidan.

Lyssa attendit tout juste d'arriver sur le palier avant de chuchoter :

– Tu as *couché* avec lui ? *Déjà* ?

– Je vois pas pourquoi vous... commença Stacey, mal à l'aise.

Son interlocutrice arqua un sourcil ironique.

– Oui, bon, d'accord, ajouta-t-elle en la poussant vers la chambre principale dont elle referma la porte.

– Ça ne te ressemble pas, Stace !

– Je sais. C'est juste que... c'est arrivé, voilà.

Lyssa se laissa tomber sur le lit et regarda autour d'elle.

– Où est Justin ?

– Pas là, marmonna Stacey en passant la main dans sa coiffure en pétard.

Elle avait toujours une tête abominable au réveil. Exactement celle qu'elle voulait montrer au type le plus sexy qu'elle ait jamais rencontré.

– Je vois ça, dit Lyssa d'un ton sec.

À une époque, la jeune vétérinaire avait décliné dans sa chambre une harmonie de bleus censée l'aider à trouver le sommeil, mais elle l'avait ensuite redécorée à l'orientale. Un paravent massif en bois et papier translucide dissimulait à demi les portes vitrées coulissantes. On devinait dans la salle de bains ouverte des serviettes noires, brodées de kanji dorés. Un dessus-de-lit au satin rouge éclatant, orné d'un dragon, couvrait le matelas logé dans un cadre de bois aux sculptures élaborées et dominé par un tableau laqué à plusieurs panneaux.

C'était une chambre originale, exotique, sensuelle. Rien à voir avec les tons taupe apaisants du reste de la maison ou avec le cadre victorien de la clinique vétérinaire. Avant de faire la connaissance d'Aidan, jamais Stacey n'aurait imaginé son amie dans un environnement pareil, mais il convenait bien à celle qu'elle était devenue. Malgré son type franchement caucasien – Lyssa était aussi proche de la poupée Barbie qu'il était possible à une femme aux grands yeux sombres en amande –, le petit parfum asiatique de sa chambre trahissait un côté aventureux qui avait échappé à Stacey.

– Tommy s'est fait un peu d'argent. Il est venu chercher Justin pour l'emmener passer le week-end à Big Bear.

– Oh ? Ouah ! s'étonna Lyssa.

– Oui, c'est comme ça que j'ai réagi aussi.

– C'était quand, la dernière fois qu'ils se sont vus ?

– Il y a cinq ans.

Stacey se laissa tomber sur la chaise à dossier en bois, près de la porte.

– Alors, ces petites vacances ?

– Oh non, tu ne vas pas changer de sujet comme ça, protesta Lyssa en secouant la tête.

– Hé, vous avez enterré un monstre ! C'est quand même plus intéressant que ma vie sexuelle.

– Ça n'avait rien d'une belle cérémonie, on l'a écrasé, marmonna Lyssa en se débarrassant de ses tennis blanches boueuses sans les délacer et en s'allongeant au pied du lit, appuyée sur un coude, la tête dans la main. On ne pouvait pas le laisser là. C'était... *barbare*.

L'horreur dont vibrait sa voix exaspéra Stacey. Trop, c'était trop.

– Je sais que vous adorez les animaux, Doc, mais en arriver à enterrer une bestiole écrasée, franchement, je trouve ça dingue.

– Et si on revenait à ce que *toi* tu fais de dingue ? proposa Lyssa avec un empressement non dissimulé.

– De vraies lycéennes ! s'exclama Stacey en riant.

– Oui, hein ? Alors, qu'est-ce qui s'est passé ?

Elle poussa un soupir agacé, laissa tomber les faux-semblants et entreprit d'expliquer ce qu'elle ne comprenait pas bien elle-même.

– Ta nuit avec Stacey va me coûter cher, Connor, murmura Aidan, les sourcils froncés.

Le géant serra les dents et croisa les bras. Hors de question que l'on critique sa vie privée.

– Désolé Cross, mais ma vie sexuelle ne te regarde pas.

Aidan jura tout bas, repoussa quelques-uns des manuels de Stacey et posa un sac marin noir sur la table.

– Quand elle concerne la meilleure amie de Lyssa, si.

– Ah ? Et pourquoi ça ?

Le guerrier lança un regard à Connor par-dessus son épaule.

– Voilà comment ça va se passer : pour une raison ou une autre, tu vas t'engueuler avec Stacey, elle va aller se plaindre à Lyssa, qui se plaindra à moi et quand je lui dirai de ne pas me mêler à l'histoire, elle m'enverra dormir sur le canapé.

– C'est n'importe quoi.

– Ah ouais ? C'est pourtant mon expérience qui parle, rétorqua Aidan en sortant un à un les objets de son sac. Tu te souviens pourquoi on a arrêté de draguer ensemble ? Il y en avait toujours un pour merder, et on le payait tous les deux.

– Ce n'est pas pareil.

– Non, en effet, c'est pire. Lyssa et moi, c'est du sérieux, Lyssa et Stacey aussi, et Stacey a de bonnes raisons de se méfier des hommes. Elle a un faible pour les types dans ton genre.

– Et qu'est-ce que c'est censé vouloir dire, connard ? gronda Connor.

– D'après Lyssa, Stacey craque toujours sur des mecs qui ne font que passer.

Aidan tira du sac une coupe en métal qu'il posa sur la table avec précaution. Vu son état lamentable,

Connor en déduisit qu'elle devait être importante et s'approcha pour l'examiner.

– Quand je suis arrivé ici, Stacey était si inquiète pour Lyssa qu'elle lui a donné un spray de gaz poivré en lui recommandant de m'en pulvériser au visage si je disais être un extraterrestre ou que je faisais quoi que ce soit de bizarre.

– Hein ?

Connor s'empara de la coupe pour la regarder de plus près.

– Elle savait que tu n'étais pas humain ?

– Non, répondit Aidan en lui montrant la puce de stockage de données qu'il avait trouvée dans les affaires de la *chose*. Tu as apporté un lecteur ?

Le géant secoua la tête. Son interlocuteur laissa tomber en jurant la puce sur le bois ciré.

– C'était quoi, alors, cette histoire d'extraterrestre ? insista Connor, perplexe.

– Une blague. Stacey a un sens de l'humour assez particulier.

– Oh.

Un sourire aux lèvres, le géant reposa la coupe.

– Ce que je veux dire, c'est qu'elle a *armé* Lyssa, parce qu'elle avait peur que je lui fasse du mal. C'est une dure-à-cuire.

– Ouais.

Stacey *était* une dure-à-cuire, il le savait déjà. Il savait aussi qu'elle était tendre et vulnérable sous sa carapace.

– Et ça me plaît bien.

Aidan lança le sac vide sur une chaise.

– Ça te plaira moins quand elle te balancera son gaz dans les yeux.

Connor posa la main à plat sur la table et se pencha en avant.

– Tu fais chier, Cross. Pourquoi t'es si sûr que je vais merder ?

– Tu n'as jamais eu aucune envie de te poser, riposta Aidan. Je te connais depuis des siècles. Tout ce que tu veux d'une femme c'est qu'elle t'ouvre ses cuisses.

– T'étais pareil.

– Mais j'ai changé.

– Tandis que moi, à t'entendre, je ne peux pas ?

– Mais qu'est-ce que tu racontes ? s'énerva Aidan. Pourquoi on parle de ça ? Laisse-la tranquille, c'est tout. Ça ne devrait pas être trop difficile. Ce n'est pas comme si tu tenais à elle.

– Merci pour ton éclatant soutien, ironisa Connor en s'emparant de la boule de tissu coincée dans la coupe. Et même si ça ne te regarde pas, sache que je voulais prendre le temps de mieux connaître Stacey. Mais *elle* m'a jeté. Enfin, ne t'inquiète pas pour mes sentiments, hein, je n'en ai pas, après tout.

S'il n'avait pas été d'aussi mauvaise humeur, il se serait peut-être amusé du regard incrédule d'Aidan, mais là, ce n'était pas drôle. Ça craignait même, et pas qu'un peu.

– Laisse tomber, maintenant, grommela le géant. Ce qui est fait est fait, et cette histoire était de toute manière déjà finie avant de commencer.

– Tant mieux.

Connor déroula le tissu, dévoilant une petite masse indistincte couverte de terre.

– Qu'est-ce que c'est que ça ?

– Aucune idée. Je vais le nettoyer et on verra.

Aidan écarta une des chaises de la table, s'y laissa tomber en poussant un soupir las, puis entreprit de retirer le sparadrap qui maintenait le large bandage de sa cuisse.

Connor reposa le mystérieux objet avant de s'asseoir, lui aussi.

– Qu'est-ce qui est arrivé à ta jambe ?

– Une cinglée lui est tombée dessus.

La bande de coton tomba, dévoilant une cicatrice rose gonflée, sous des points de suture parfaits. Les yeux d'Aidan se relevèrent jusqu'à ceux de Connor.

– Je crois que c'était l'une des nôtres. Elle avait des bottes de l'Élite et...

Il agita la main au-dessus des objets disposés sur la table.

– ... Tout ça, c'étaient ses affaires.

– Une cinglée, hein ?

Connor se passa les mains dans les cheveux en soupirant puis s'entrelaça les doigts au creux de la nuque.

– Avec des yeux monstrueux et bonne pour une longue séance chez le dentiste ?

Aidan se figea.

– C'est pour ça que tu es là.

– Oui.

– Elle avait les dents aussi aiguisées que des rasoirs et les yeux totalement noirs. Pas de sclérotiques. Comment est-ce que c'est possible ?

– D'après mes derniers rêves, c'est ce qui se produit quand les Anciens se foirent.

– Tes *rêves* ?

– Je sais.

Connor soupira.

– Soit mon imagination est plus intéressante que je ne le croyais, soit quelqu'un communique avec moi depuis le Crépuscule. Quoi qu'il en soit, j'ai fait deux rêves quasi identiques. Sheron vient me trouver près du lac et me raconte que les Anciens ont essayé de reproduire au Temple les faisceaux des médiums de la caverne, que les Cauchemars ont infiltré ces faisceaux et qu'ils se sont fondus aux Gardiens qui les empruntaient, ce qui a créé tes « cinglés ». Sheron les appelle des « hybrides ».

Aidan se frotta la nuque.

– Il faut savoir si c'est vrai ou pas.

– Sans blague.

Connor plissa le front, interrogateur.

– Tu l'as butée, hein ?

– Oui.

– Bien. Une de moins.

– Merde, ragea Aidan en serrant sur le bandage qu'il froissa. Il y en a combien ?

– D'après Sheron, ils ont envoyé dix Gardiens la première fois, vingt la suivante, mais il ne m'a pas dit combien ont été infectés. Cela dit, vu les jeux d'énigmes auxquels il nous soumettait à l'Académie, je pense qu'ils en ont envoyé plus, mais qu'il n'a pas jugé utile de m'en dire le nombre exact.

– Je suis d'accord, acquiesça Aidan en se levant pour aller jeter le pansement sale dans la poubelle de la cuisine. J'ai besoin d'un café. On a passé deux jours sans dormir, Lyssa et moi. J'ai repéré la rouquine hier après-midi, et on ne s'est pas posés depuis.

– Une *rouquine* ?

Il n'y avait pas de roux, dans le Crépuscule. Le blanc le plus pur, diverses nuances de blond et de brun, un noir si intense que les cheveux en paraissaient liquides, oui, mais le roux n'existait pas. Impossible.

– C'est ce qui a attiré mon attention. Un roux pétant. On ne voyait qu'elle. C'était d'autant plus surprenant que l'Élite ne cherche jamais à attirer l'attention, justement.

Aidan tira du congélateur un paquet de café en grains qu'il lança sur le bar.

– Maintenant, je me dis qu'elle s'est teint les cheveux parce que le Cauchemar avait besoin de se nourrir. Un peu comme quand on agite une cape devant un taureau pour qu'il se rapproche et qu'on puisse le tuer.

– *Si* on se fie à mes rêves.

– C'est peut-être débile, répondit Aidan avec une grimace, mais on n'a pas grand-chose d'autre.

Le géant regarda son ami évoluer dans la cuisine avec une efficacité tranquille, tirer des mugs du lave-vaisselle puis remplir la cafetière d'eau.

– Tu as l'air heureux, dit Connor.

Aidan affichait une grâce déliée et un sourire spontané que le Viking ne lui avait pas vus depuis une éternité. À vrai dire, Aidan avait perdu sa sérénité depuis si longtemps que le souvenir même s'en était évanoui de la mémoire du géant.

– Je le suis.

– Ça t'arrive d'avoir le mal du pays ?

– Tout le temps.

La spontanéité de la réponse surprit Connor.

– Ça ne se voit pas. Tu as l'air des siècles plus jeune.

Les fils argentés qui striaient autrefois les tempes brunes du guerrier s'étaient raréfiés. Il fallait maintenant les chercher pour les voir.

– Tu as été dans ma tête. Tu sais pourquoi.

Connor savait, en effet. S'étant fondu au subconscient d'Aidan, il avait vécu sa vie en direct et en quadrichromie. Il avait ressenti les émotions d'Aidan quand il se trouvait près de Lyssa, avait éprouvé ses sensations quand elle le touchait ou le regardait tendrement, son avidité quand elle se donnait à lui avec une ferveur sauvage et un abandon total. Une intimité obsédante unissait les deux amants. Chaque fois que Connor se rendait dans les rêves de son ami, il avait l'impression de jouer les voyeurs en partageant ce genre de souvenirs.

– Je suis sûr que tu détestes ce monde, reprit Aidan de l'autre côté du comptoir, mais je suis content que tu sois venu. Le Crépuscule me manquera moins si tu es là. Et puis je vais avoir besoin d'aide et tu es la personne en qui j'ai le plus confiance.

Ne sachant quoi répondre, Connor détourna les yeux. Aidan était un frère pour lui, mais il ne savait pas comment l'exprimer.

– Oh, tu sais, je suis toujours prêt pour une bonne baston, marmonna-t-il d'un ton bourru. Wager est l'homme de la situation pour toutes les questions techniques, moi je suis M. Muscle. Depuis toujours. De toute façon, je ne sais pas faire grand-chose d'autre.

– Je crois que tu te sous-estimes.

Aidan souriait avec une chaleur que Connor ne lui avait plus vue depuis l'Académie. Son short kaki et son T-shirt bleu pétrole lui donnaient l'air extrêmement humain.

– Tu es l'homme le plus fort et le plus courageux que je connaisse, mais tu as aussi de l'intuition et...

– La ferme, ça me gêne.

Rien n'aurait pu faire plus plaisir à Connor que ces compliments. Il avait toujours admiré son supérieur et meilleur ami, car c'était un chef né, une ancre solide à laquelle se raccrocher, quelle que soit la situation.

– Je sais, tu es tout rouge.

– Crétin.

Aidan éclata de rire.

– On s'est introduits dans le Temple et on a téléchargé tout ce qu'on a pu avant qu'une de ces aberrations cauchemardesques ne me tombe dessus, reprit Connor, pressé de changer de sujet.

– Vous avez trouvé quelque chose d'utile ? s'enquit Aidan, attentif.

– Wager creuse toujours, mais il a déjà appris que les Anciens dans les tubes servent plus ou moins de batteries.

– De batteries ? Tu veux dire qu'ils fournissent de l'énergie ?

– Oui. Les tubes en sont remplis. C'est ce qui permet à leurs occupants de survivre sans manger ni boire. Nous, on pensait que les tubes étaient *alimentés* par une source extérieure, mais c'est dans l'autre sens que ça se passe : ce sont eux qui alimentent quelque chose, on ne sait pas encore quoi.

– C'est tout à fait possible, admit Aidan, les sourcils froncés. Notre existence est assurée par l'énergie cellulaire. Les tubes en font sans doute usage.

– Exactement. Enfin, d'après Wager. Et comme il y en a des milliers, on peut en déduire soit qu'ils dégagent très peu d'énergie... mais alors, pourquoi s'en servir ?... Soit que le quelque chose alimenté par cette énergie en nécessite des quantités démentielles.

Aidan s'était figé.

– Comment ont-ils pu nous cacher aussi longtemps un secret pareil ?

– On les a laissés faire répondit Connor en se levant et en s'étirant. Des Gardiens dans mon genre, trop occupés à vivre leur vie au jour le jour pour se poser des questions. Je me sens stupide. J'étais aveugle et borné, un véritable abruti.

– Tu as fait confiance à ceux qui avaient juré de nous protéger. Il n'y a pas de honte à ça.

– Peu importe, je suis un âne, trancha Connor, méprisant. Mais toi, tu dois être content, tu avais raison.

– Non, je ne suis pas content, protesta Aidan d'un ton las, en levant un mug vide d'un air interrogateur. Je suis écœuré et furieux, c'est différent.

Connor secoua la tête, il n'avait pas envie de café.

– Bon, qu'est-ce qu'on fait maintenant ? Par où on commence ?

– Par ce qu'on a.

Aidan remplit deux mugs, ajouta de l'édulcorant et de la crème dans le premier, puis se mit à siroter le second, mais en posa aussi un troisième près de la cafetière pour Stacey. La vision de cette tasse solitaire suscita en Connor des émotions étranges, y compris une curiosité inattendue. Il aurait voulu savoir comment la jeune femme aimait son café, envie qui le prit totalement par surprise. C'était un détail mineur, pas franchement intime, mais qui lui semblait important... Il fronça les sourcils.

– Un jour, j'ai cru voir Rachel... tu sais, l'Ancienne, à une vente aux enchères, continua Aidan, appuyé au comptoir, les deux mains refermées sur son mug géant Rainforest Café. Je ne suis pas sûr à cent pour cent que ce soit elle, il y a une éternité qu'elle a quitté l'Élite pour se joindre aux rangs des Anciens, mais la ressemblance était troublante, et je ne vois pas qui plus qu'elle pourrait *vouloir* venir ici.

L'image de la Gardienne aux cheveux de nuit s'imposa à l'esprit de Connor.

– Je suis tombé sur ce souvenir, quand je suis venu te voir dans tes rêves. On a parlé d'elle. C'était une excellente guerrière. Je crois que j'ai monté la garde au Portail avec elle, une fois. Sacrée dure, je peux te le dire. Et qui adooore se battre.

Les Gardiens qui voulaient intégrer l'Élite devaient d'abord passer un mois au Portail pour s'initier aux extrêmes difficultés qui les attendaient. La plupart ne tenaient même pas cet infime laps de temps – un mois n'était qu'une infime partie du temps que durait leur vie, mais au Portail, ça leur semblait une éternité.

Le Portail était l'enfer, l'endroit que découvraient certains Rêveurs au moment de mourir et qu'ils croyaient soumis à un homme rouge cornu, doté d'une queue fourchue. Les Gardiens auraient aimé oublier ce lieu, mais ils ne pouvaient pas. Le Portail était l'entrée du Crépuscule, l'ouverture que les Anciens avaient créée pour fuir les Cauchemars qui, depuis qu'ils avaient découvert leur refuge, les assiégeaient sans relâche.

Les efforts nécessaires pour empêcher les Cauchemars d'entrer déformaient la porte imposante ouvrant sur le Grand Extérieur. Les croissants de lumière rouge qui en entouraient le chambranle trahissaient les tensions exercées sur ses charnières et sa serrure. Des ombres noires s'infiltraient comme de l'eau par ces fentes minuscules, puis infectaient le Crépuscule alentour, jusqu'à ce que des pustules pleines de lave sortent de terre. Le sabre étincelant, des milliers de Guerriers d'élite livraient là une bataille sans fin, abattant des légions de Cauchemars. Nul n'avait envie de poursuivre cette tâche exténuante plus longtemps qu'il n'y était contraint.

Sauf Rachel.

Elle avait tenu tout le mois, puis déclaré qu'elle en supporterait bien un second.

– Sacrée dure, oui, acquiesça Aidan. Avec en plus un avantage non négligeable : elle sait ce qui se passe, contrairement à moi. Ajoute à ça qu'elle n'a qu'une mission, alors que je me bats sur plusieurs fronts. Veiller à la sécurité de Lyssa, m'occuper des achats de McDougal, chercher les artefacts. Maintenant que ces... *choses* sont aussi de la partie, on ne peut plus se charger de tout à nous deux. Si on est seuls contre un troupeau de monstres, autant laisser tomber. Il ne me reste qu'à emmener Lyssa se cacher sur une île déserte en attendant la fin. Au moins on passerait un peu de temps tranquilles.

– Merde.

Connor soupira.

– Tu as raison, il nous faut des renforts, mais qui voudrait venir ? Mes hommes ont beau être dévoués à la cause, c'est...

— C’est beaucoup demander.

— Oui. La plupart n’ont jamais connu d’autre foyer que le Crépuscule, ils n’ont aucun souvenir du Vieux Monde, et tout plaquer pour ça...

Il engloba ce qui l’entourait d’un grand geste du bras.

— ... ce n’est pas évident.

— Ça craint, mais que veux-tu qu’on fasse ?

Aidan frotta d’une main la barbe naissante qui lui grisait le menton.

— La rouquine était en possession de la *taza* que je cherchais. Ça veut dire que les Anciens en ont après les artefacts. Moi, il faut que je donne satisfaction à McDougal, parce qu’il paye les factures. D’un autre côté, quelqu’un doit traquer les artefacts pendant que je travaille, et un petit groupe ne serait pas de trop pour s’occuper des hybrides. La chose qui m’a attaqué était complètement folle. Un jour ou l’autre, l’une de ces créatures se fera attraper ou tuer, et les Rêveurs comprendront qu’ils ne sont pas seuls dans l’univers.

— Et n’oublie pas que tes proches sont en danger et qu’il faut les protéger. Les Anciens sont capables de tout pour obtenir ce qu’ils veulent. Tu crois que j’aurais plaqué Stacey quand je me serais lassé, mais la vérité est que je ne veux pas la fréquenter pour qu’elle ne se fasse pas tuer.

Aidan considéra son camarade avec attention, les yeux plissés.

— Mais l’important c’est ça, continua Connor, trop impatient pour s’attarder sur des émotions qu’il ne comprenait pas. L’aller-retour n’est pas sans conséquences. Le retour détruit le médium.

– Il le *détruit* ? répéta Aidan, figé.

– Il le tue. L'élimine. *Game over.*

– Putain de merde.

– Tout à fait. Donc on peut oublier les assignations temporaires.

Après un long silence, Aidan articula :

– Merci.

Ce simple mot avait été prononcé avec une telle intensité que Connor fut décontenancé.

– De quoi ?

– D'avoir quitté ton foyer pour moi. Merde, c'est...

Aidan avait les larmes aux yeux, ce qui eut le don de paniquer Connor.

– Oh là ! mec, du calme. Ça va, tu sais.

– Non, ça ne va pas. C'est extraordinaire. Je ne sais pas quoi dire.

– Alors ne dis rien, répondit précipitamment Connor.

Heureusement pour lui, Lyssa arriva à cet instant précis. Il l'aurait volontiers embrassée.

– Mmh... du café ! roucoula-t-elle.

Coiffée d'une queue de cheval humide, habillée de frais et sentant la pomme, elle était belle. Dans son jogging en velours rose foncé, elle avait l'air d'être revenue à la vie. Lorsqu'elle découvrit la tasse préparée à son intention, elle se haussa sur la pointe des pieds et embrassa Aidan.

– Merci, mon amour.

Profitant de l'occasion, Connor s'esquiva et partit se changer et se préparer à la tâche monumentale qui l'attendait.

chapitre 8

Pour un homme dont on avait autrefois célébré le sens de l'honneur, Michael Sheron menait désormais une existence de mensonges et de trahisons qu'il n'aurait jamais pu imaginer. Les êtres d'ombre qu'on appelait Cauchemars n'étaient rien, comparés au cauchemar de tromperie qui l'entourait chaque jour.

Comme il avait décidé d'emprunter la voie des airs pour retourner du quartier général des rebelles au Temple des Anciens, un paysage magnifique défilait sous lui. Moutonnements de collines herbeuses, vallées fertiles aux rivières rugissantes, cascades splendides...

Un décor construit avec soin pour éviter tout mécontentement.

À sa grande tristesse, il en était venu à mépriser le paradis qu'il s'échinait pourtant à maintenir, car cet environnement parfait était aussi fragile que les rêves que son peuple gardait. Les fondations de cette superbe façade s'ancraient dans le mensonge, mais seuls les rebelles et les Anciens le savaient. La plupart des Gardiens étaient heureux et le resteraient, *à condition* de vivre dans l'ignorance de la révolte.

C'était cette tromperie-là que Michael devait entretenir avant tout, ce qui devenait de jour en jour plus difficile. Le capitaine Aidan Cross était un guerrier de légende, dont la seule présence donnait à l'ensemble des Gardiens une impression de sécurité. Sa disparition commençait à susciter des interrogations indésirables, et celle de Connor Bruce n'allait pas arranger les choses.

Il n'y avait pas dans toute l'Élite héros plus voyants et plus admirés que ces deux-là, qui, pour ne rien arranger, étaient les meilleurs amis du monde. Les Gardiens ne comprendraient pas que deux hommes aussi farouchement dévoués à leur peuple le trahissent si soudainement. Ils se poseraient des questions sur les raisons de leur désertion. Et l'option « méchants » n'était pas celle que Michael souhaitait utiliser. Il préférait entretenir la réputation de ses deux anciens élèves auprès des Gardiens, car l'adoration des braves soulevait des émotions puissantes parfois fort utiles. L'histoire regorgeait de hauts faits accomplis en mémoire de héros bien-aimés.

Voyant apparaître le Temple immaculé, Michael ralentit son vol, reprit une position verticale puis se laissa lentement descendre jusqu'à terre où il releva la capuche dont les Anciens se servaient pour dissimuler au public leurs traits émaciés. Il avait été bel homme autrefois, il y avait bien longtemps de cela. Mais perdre la beauté n'était pas trop cher payer pour atteindre son but.

Préparé à ce qui allait suivre, il franchit le *torii* rouge massif dont les Anciens avaient fait une motivation, puisqu'ils y avaient gravé dans la langue des ancêtres un avertissement qui donnait à la fois aux

Gardiens un espoir et un but, tous deux nécessaires à leur santé mentale. *Prends garde à la Clé qui ouvre la Serrure !* S'il était possible de maintenir le peuple dans l'ignorance de la révolte, le message continuerait à remplir sa fonction.

Le vieillard traversa la cour centrale à ciel ouvert en laissant dans son sillage une traînée de gouttes d'eau, souvenir de sa confrontation avec Connor Bruce. Tant pis, il s'en accommoderait. On l'attendait, et la ponctualité était la meilleure façon d'éviter toute question gênante.

Conscient de la surveillance exercée par les moniteurs vidéo, il gagna d'un pas tranquille le *chôzuya*. Là, il plongea la louche prévue à cet effet dans la fontaine, se rinça la bouche puis se lava les mains en examinant les alentours. Cet espace, si réconfortant pour la plupart des Gardiens, lui faisait l'effet d'une prison.

Il expira longuement afin de s'éclaircir les idées. S'il voulait tirer son épingle du jeu pendant l'audience qui l'attendait, il devait témoigner d'une assurance absolue, teintée d'un soupçon d'arrogance. Certes, on lui avait suggéré de rendre visite au capitaine Bruce, mais il était seul responsable des événements qu'il venait de mettre en branle. La danse complexe dans laquelle il s'était engagé ne pardonnait pas : le moindre faux pas signerait sa perte.

En arrivant au bout de la cour, Michael pénétra dans le *haiden*, où l'attendaient les autres Anciens, ses pairs – ou du moins le croyaient-ils. En réalité, ils n'étaient que quelques-uns à œuvrer avec lui.

La fraîcheur de la salle obscure, dont seul le centre désert était éclairé, l'engloutit dès qu'il y pénétra. Il s'immobilisa dans la lumière, qui s'affaiblit aussitôt, dévoilant les silhouettes encapuchonnées assises en demi-cercle devant lui.

– Le capitaine Bruce est-il entré en contact avec Aidan Cross et la Clé, Ancien Sheron ?

– Si ce n'est déjà fait, cela ne saurait tarder.

Les bancs explosèrent en un bourdonnement sonore où se mêlaient des dizaines de conversations. Michael attendit patiemment, les pieds écartés, les mains jointes derrière le dos, la capuche rejetée en arrière d'un coup de tête pour mieux convaincre ses auditeurs de sa sincérité. Nul mieux que lui ne feignait la sincérité.

– Qu'avez-vous à proposer, maintenant que Connor Bruce a quitté le Crépuscule ?

– Envoyons un Ancien diriger l'équipe chargée de collecter les artefacts.

Les discussions reprirent de plus belle, des centaines de voix luttant pour se faire entendre pardessus le vacarme.

– Sheron.

Il sourit en son for intérieur.

– Oui, Ancienne Rachel ?

– Qui enverriez-vous en notre nom ?

– Qui choisiriez-vous ?

Son interlocutrice se leva en repoussant la capuche qui dissimulait jusque-là ses tresses aile-de-corbeau et ses yeux verts étincelants.

– J'irai. Je prendrai la tête de l'équipe.

– C'est à vous que je pensais, acquiesça-t-il.

Rachel était une guerrière surdouée, mais aussi dotée d'une autorité innée, comme les deux officiers rebelles. Et son physique ne gâchait rien, car les

Anciennes conservaient la séduction de la jeunesse, contrairement aux Anciens. Elle attirerait donc moins l'attention qu'un homme.

– Le capitaine Cross répugne à se battre contre les femmes, ajouta Michael. Nous en tirerons un avantage appréciable.

– Et le capitaine Bruce ? demanda quelqu'un. Je ne vois toujours pas en quoi sa présence sur le plan des mortels nous est d'une utilité quelconque.

– Séparés, ce sont de véritables rocs, durs à manipuler. Mais ensemble, ils gagnent en fluidité. Ils s'appuient l'un sur l'autre. Comme ils savent que leurs actions se répercutent sur l'autre, ils ont davantage à perdre. Cela va les ancrer un peu plus profondément sur le plan des mortels, ils vont s'aventurer plus loin, tenter plus de choses et prendre plus de risques qu'ils ne le feraient individuellement.

– Ça va être trop long ! se plaignit quelqu'un d'autre.

Michael retint un soupir.

– La Rêveuse ne concevra un enfant avec son Gardien que si nous leur en donnons le temps. À l'heure actuelle, ils sont sur le fil du rasoir. Il ne sera pas question de grossesse avant qu'ils ne pensent avoir un avenir ensemble. D'ailleurs, je vous rappelle qu'il nous est impossible de raccourcir une gestation humaine.

– Ce n'est pas une humaine comme les autres.

– Les questions n'en sont que plus nombreuses. Il faut être patients et éviter de précipiter les choses. Laissons les pièces du puzzle se mettre en place à leur rythme.

La discussion qui suivit dura des heures, comme toujours, car la communauté des Gardiens se révélait par essence réfractaire au changement. Michael se disait souvent qu'ils avaient de la chance d'être immortels : sans ça, ils seraient tous morts avant de pouvoir appliquer leurs décisions.

Il finit pourtant par obtenir ce qu'il voulait.

– Rachel, pensez à vous préparer, lui conseilla l'un des Anciens. L'acclimatation au monde humain est difficile, et croiser le fer avec le capitaine Cross va vous demander du courage.

La bouche sensuelle s'incurva en un sourire qui ne monta pas jusqu'aux yeux verts glacés.

– Je serai prête.

– Qu'il en soit ainsi, acquiesça-t-il au nom de l'assemblée. Passons au sujet suivant.

*
**

Stacey referma son sac et parcourut une dernière fois la chambre du regard pour vérifier qu'elle n'oubliait rien.

Elle allait se sentir mal en retrouvant sa maison déserte, mais elle ne voyait aucune raison de rester chez son amie et n'en avait d'ailleurs pas franchement envie. L'ambiance serait trop bizarre, maintenant qu'Aidan et Lyssa savaient qu'elle avait couché avec Connor. Lequel était d'ailleurs présent pour affaires. Or Aidan consacrait une telle énergie à la chasse aux antiquités qu'ils allaient sans doute vouloir s'y mettre immédiatement. Quant à elle, elle avait à faire de son côté. Bref...

Elle regagna le rez-de-chaussée, son sac à dos accroché à l'épaule par une bretelle.

À sa grande surprise, Connor était assis, seul à la table de la salle à manger, en train de nettoyer avec précaution un petit... machin incrusté de terre séchée. Ses larges épaules étiraient son T-shirt noir au maximum, et un jean délavé assez ample dissimulait ses longues jambes.

– Salut, lança-t-elle en le dépassant pour aller récupérer son sac à main sur le comptoir. Où sont passés les deux tourtereaux ?

– Au lit. Ils ont roulé toute la nuit, ils sont vannés.

Stacey se retourna. Connor la fixait de ses profonds yeux bleu océan qui avaient l'air de savoir tant de choses, comme si le géant avait vu et fait bien plus qu'on ne le pouvait à son âge. Il ne devait pas avoir plus de trente-cinq ans, mais il avait l'endurance et l'énergie d'un homme deux fois plus jeune, elle était bien placée pour le savoir.

– J'espérais qu'ils prendraient un peu de vacances, soupira-t-elle en secouant la tête. Ils travaillent beaucoup trop tous les deux.

– Où tu vas ? s'enquit-il en désignant du menton son sac à dos Roxy rose et noir.

Jamais elle ne se serait permis une extravagance pareille, une sous-marque à cinq dollars aurait aussi bien fait l'affaire, mais Lyssa l'avait vue en admiration devant la vitrine et lui avait offert le Roxy. Voilà pourquoi c'était devenu un de ses objets « de luxe » préférés.

– Chez moi. J'ai des choses à faire.

– Comme quoi ?

– Des trucs. La maison a besoin d'un grand nettoyage. C'est rare que je puisse m'y mettre quand Justin est là. Et une des marches de la véranda est pourrie. Le voisin m'a promis d'y jeter un coup d'œil, alors je vais voir s'il est libre aujourd'hui.

Connor posa sur la table l'objet qu'il nettoyait, puis se leva avec une grâce dangereuse. Malgré sa taille, il se déplaçait aussi souplement, aussi silencieusement qu'une panthère.

– Je peux m'en occuper, moi.

Elle cilla. Il était tellement grand qu'elle dut pencher la tête en arrière pour le regarder dans les yeux. Et elle se trouvait pourtant à deux bons mètres de lui.

– Pourquoi ?

– Pourquoi il le ferait, lui ? rétorqua Connor.

Stacey fronça les sourcils.

– Parce qu'il est sympa.

– Je suis sympa.

– Non, tu es occupé.

Et sexy. Seigneur, il était magnifique. Le noir lui allait indéniablement à merveille, elle l'avait remarqué dès son arrivée. Sa peau et ses cheveux dorés n'en ressortaient que mieux. Ses boucles miel un peu trop longues, son T-shirt moulant, son jean et ses bottes militaires lui donnaient une allure fascinante de mauvais garçon. Rien que de l'imaginer chez elle, Stacey avait la tête qui tournait.

– Je dois établir une stratégie, admit-il. Mais je peux faire ça n'importe où.

– Ce n'est pas drôle de réparer une marche abîmée.

– Ton voisin a l'air d'apprécier.

– Il apprécie surtout ma tarte aux pommes.

Connor croisa les bras.

– J'aime la tarte aux pommes.

— Ce n'est pas une bonne idée...

— Bien sûr que si, insista-t-il, les mâchoires crispées d'une manière qui trahissait l'obstination et qu'elle trouvait adorable. Je répare super bien les marches.

Elle devait dire non. Elle devait vraiment. Il espérait manifestement qu'un peu de bricolage lui vaudrait une reconnaissance très... physique. Et elle avait bien peur de ne pas être à même de le décevoir, car elle n'avait pensé qu'à cela en prenant sa douche : comment ce serait s'ils faisaient l'amour en prenant leur temps, sans se presser ?

Question dangereuse.

— Je crois qu'on ferait mieux de se dire au revoir.

— Poule mouillée.

La riposte laissa momentanément Stacey bouche bée :

— Pardon ?

Connor se coinça les mains sous les aisselles puis se mit à agiter les bras en caquetant.

— Seigneur, murmura-t-elle. C'est puéril.

— Si tu veux. Tu as peur de m'emmener chez toi parce que je te plais trop.

— Ce n'est pas vrai.

— Menteuse.

— Pourquoi les hommes redeviennent de gros bébés dès qu'on leur refuse quelque chose ? râla-t-elle, les mains sur les hanches.

Pour toute réponse, il lui tira la langue.

Elle se mordit la lèvre en détournant les yeux, pendant qu'il éclatait de rire avec une gaieté si franche qu'elle s'étrangla à moitié pour se retenir de l'imiter.

— Bon allez, j'arrête.

Il la rejoignit en contournant la table et lui prit son sac à dos, un sourire renversant aux lèvres.

— Je te promets d'être sage.

— Je suis malheureusement irrésistible, protesta-t-elle d'un ton ironiquement arrogant.

— Je sais.

La note complice qui s'était glissée dans la voix de Connor figea la jeune femme. Elle resta immobile à le regarder bien plus longtemps qu'elle ne l'aurait dû, fascinée par ses yeux bleus chaleureux, possessifs... où brillait aussi une lueur d'avidité. L'emmener chez elle, c'était chercher les ennuis, avec un E majuscule. Le laisser jouer un après-midi l'homme de la maison et poser sa marque sur son foyer...

— Et si c'est moi qui ne suis pas sage ? soupira-t-elle.

Il fit un pas de côté en lui montrant l'entrée.

— Je ne dirai pas non. Si tu crois que je vais jouer les gentlemen, tu te trompes.

— Bon, très bien.

Elle l'entraîna jusqu'à la porte, qu'il ouvrit après avoir récupéré son épée.

— Mais je te préviens, je vais te faire bosser, Monsieur L'Homme-Fort-Imitateur-De-Poules.

— Vas-y, mon cœur, je suis tout à toi.

Ils franchirent le portillon de bois blanc qui marquait la limite du patio dallé puis gagnèrent le petit parking voisin. Stacey ouvrit à distance le coffre de sa Nissan Sentra et Connor y jeta le sac à dos et l'épée, avant de s'approcher en sifflotant de la portière passager.

— Tu es un peu trop heureux, murmura la jeune femme.

– Et toi, beaucoup trop inquiète.

Il observa la jeune femme par-dessus le toit de la voiture, puis reprit :

– On a couché ensemble, Stacey, et c'était bon.

Sa voix baissa d'un ton, tandis que son accent s'accentuait.

– J'ai été *en toi*. Quel genre d'homme je serais si je n'étais pas heureux de passer du temps avec toi, après ça ?

Elle déglutit difficilement et cilla. Elle avait déjà vu l'expression qu'il arborait. Austère et intense. Sérieuse. Et qui lui allait aussi bien que l'amusement.

– Tu m'embrouilles les idées. Je n'aime pas ça.

– Parce que je dis la vérité ?

– Parce que tu es parfait, siffla-t-elle en vérifiant d'un coup d'œil que personne ne pouvait les entendre. Arrête, bordel.

Un sourire plein de tendresse traversa le visage de Connor.

– Tu es dingue, tu le sais ?

– Ah oui ?

Elle ouvrit sa portière d'un geste brusque et s'installa au volant.

– Rien ne t'oblige à supporter ma compagnie.

La portière passager s'ouvrit et le grand corps se plia dans le minuscule habitacle. Connor fit la grimace.

– Si tu restes, recule ton siège, lui conseilla Stacey.

Il secoua la tête, visiblement agacé.

– Je ne sors pas de cette voiture, fais-toi à cette idée.

Elle leva les yeux au ciel, se pencha au maximum et lui glissa la main entre les jambes, à la recherche du levier.

— Si tu crois que je vais me sentir coupable de te voir serré comme une sardine, tu rêves. Allez, pousse.

Il ne bougea pas.

— Bon sang, c'est pas possible.

Elle lui claqua le mollet.

— C'est pas croyable d'être aussi borné. Pousse, je te dis.

Le géant ne bougea pas plus, pas même un muscle.

Stacey leva la tête, prête à se plaindre haut et fort, mais se retrouva le nez à quelques centimètres d'un jean tendu par une protubérance impressionnante. La main droite de Connor enserrait sa cuisse si fort que ses doigts en avaient blanchi. Un instant paralysée de stupeur, Stacey comprit peu à peu la situation : lorsqu'elle était penchée sur le levier, ses seins pesaient sur la cuisse gauche de son passager, contre laquelle ils se soulevaient au rythme de la respiration de la jeune femme. Les yeux verts de Stacey se reportèrent sur le visage de Connor, non sans s'attarder un instant sur ses pectoraux virils.

— C'est censé me mettre à l'aise ? lui demanda le Viking, visiblement amusé.

— Tu l'as fait exprès ! s'exclama-t-elle en se redressant, furieuse.

— Allons-y, mon cœur, conclut-il après avoir fait coulisser son siège sans aucune difficulté.

Ils quittèrent la résidence fermée de Lyssa, puis s'engagèrent sur la route menant au quartier de Stacey – la vieille ville, comme on disait dans le coin, une zone en pleine réhabilitation. On y construisait le nouveau commissariat et la nouvelle mairie, réunis en un complexe unique, pendant que différentes entreprises prenaient possession des anciens terrains vagues. Murietta n'était une ville que depuis peu, mais avait une longue histoire. On y trouvait un Starbucks et une ferme, à quelques centaines de mètres l'un de l'autre. Stacey aimait cette dichotomie : le charme d'autrefois, allié au confort moderne.

– Tu te plais ici ? demanda Connor, qui regardait le paysage avec curiosité.

– Oui. Ça me convient parfaitement.

– Qu'est-ce que tu aimes, là-dedans ?

– Qu'est-ce que je pourrais ne pas aimer ? s'enquit-elle en lui jetant un coup d'œil en coin.

– Ça pue, répondit-il, le nez plissé.

– OK... répondit Stacey en appuyant sur la dernière syllabe.

Elle médita un moment l'observation du géant, puis reprit :

– On est dans une vallée.

La perplexité de son passager la poussa à ajouter :

– Le brouillard a tendance à stagner dans les vallées.

– Génial.

Elle haussa les épaules.

– Si tu trouves que ça pue ici, ne va pas à Norco.

– On dirait un nom de station service.

– C'est ce que je me suis toujours dit ! s'exclama Stacey en riant. Non, sérieux, c'est dans la région des chevaux. Et des élevages laitiers. Toute la ville sent la bouse de vache.

– Charmant.

Les lèvres de Connor dessinaient ce sourire si particulier qui faisait palpiter le cœur de Stacey.

Ils s'engagèrent dans une partie de la vieille ville aux trottoirs inexistants et aux maisons assez éloignées les unes des autres. Rien à voir avec le quartier de Lyssa, où il suffisait de tendre le bras par la fenêtre pour emprunter un peu de sucre à son voisin.

Enfin, Stacey tourna dans l'allée gravillonnée menant à sa petite maison. Elle mesurait un peu moins de cent mètres carrés, mais était adorable, du moins à ses yeux. Des parterres de fleurs en arc de cercle, que la jeune femme avait tracés et entretenait elle-même, encadraient la grande véranda de façade. Et les tons verts et blancs dans lesquels le chalet était peint rendaient son extérieur charmant, tandis que l'intérieur était doté de tout le confort moderne. Mais, surtout, la maison était à elle.

Enfin, autant qu'un domicile hypothéqué pouvait l'être.

– On y est, annonça-t-elle en relevant fièrement la tête.

Quand elle descendit de voiture, Connor la rejoignit et se plongea dans la contemplation des lieux, avant de rendre son verdict :

– Ça me plaît.

– C'est trop petit pour toi, dit-elle, exprimant tout haut sa pensée... et regrettant instantanément la manière dont on pouvait l'interpréter.

Comme si elle imaginait le grand Viking vivre ici.

Il se tourna vers elle, si proche qu'elle prit alors conscience de son odeur, sans savoir pourtant de quoi il s'agissait. Ça ne ressemblait pas à un after-shave, sans doute parce que c'était tout simplement son odeur à lui. *Simplement Connor.* Ça sonnait bien pour un after-shave. Il aurait pu se faire une fortune.

– J'aime les endroits étroits, chuchota-t-il, une lueur de malice au fond des yeux.

Elle se demanda une fois de plus quel effet ça pouvait bien faire de vivre avec un homme aussi sûr de lui. Une assurance qui permettait à ce type de la taquiner avec un sans-gêne absolu et le distinguait de tous les autres hommes qu'elle avait jamais fréquentés. De tous ces nains se prétendant des géants, et dont la façade trompeuse lui avait donné une illusion de stabilité. Mais c'était avant Justin. Depuis, elle avait appris à puiser des forces en elle-même, parce qu'il dépendait d'elle.

Stacey alla récupérer son sac à dos dans le coffre, esquiva Connor quand il voulut la délester de son fardeau et gagna la véranda.

– Attention à la deuxième marche, c'est celle qui est pourrie.

– OK.

Il se tenait juste à côté d'elle lorsqu'elle ouvrit la porte moustiquaire, qu'il retint de la main pendant qu'elle faisait jouer la serrure et les deux verrous de la porte d'entrée.

– Le quartier n'est pas sûr ? demanda-t-il en s'attardant sous la véranda, le temps de parcourir du regard la cour et la rue au-delà.

– Si, mais ma nature de froussarde prend le dessus dès que la nuit tombe.

Il hocha la tête comme s'il comprenait. Il devait compatir, mais Stacey doutait qu'il ait jamais eu peur de rien. Il était trop calme, trop sûr de lui – peut-être parce qu'il venait d'une famille vouée à servir l'armée, malgré les risques. Quand on était prêt à mourir, on n'avait pas la même vision du danger que les autres.

Lorsqu'il se décida à entrer au salon, la porte moustiquaire se referma dans un grincement assorti d'un claquement sonore.

– La porte est cassée, constata-t-il, les sourcils froncés.

– Techniquement, c'est le petit machin en métal qui ne marche pas.

– Peu importe, elle est foutue.

– Mais non, il suffit de la régler. Mets-toi à l'aise.

Elle gagna la lingerie, où elle jeta dans la machine à laver les vêtements pleins de poils de chat tirés de son sac à dos.

– Ton fils est beau gosse, lança Connor du couloir, un instant plus tard.

Stacey expira un bon coup avant de le rejoindre. Il regardait les photos encadrées accrochées dans le corridor, qu'il bloquait presque entièrement, car sa tête frôlait le plafond.

– Merci. Je trouve aussi.

Connor se tenait maintenant devant un Polaroïd de Stacey et Justin qui remontait à la fête des louveteaux de Pinewood. Le garçon était presque aussi grand que sa mère et ne lui ressemblait pas du tout, avec ses cheveux châtains et ses yeux sombres.

– Celle-là date d'il y a deux ans, expliqua-t-elle. Il a laissé tomber les scouts, depuis. Il dit que c'est un truc à faire avec son père.

Connor lui passa la main dans le dos. C'était un geste de réconfort, comme le baiser de la nuit précédente, mais pas seulement. Or elle ne pouvait se permettre ce *pas seulement*. Elle ne pouvait se permettre de le laisser devenir une béquille sur laquelle elle s'appuierait et dont elle deviendrait dépendante, car il n'allait pas rester là à jamais.

Elle avait commis trop souvent l'erreur de chercher des forces en quelqu'un d'autre ; elle refusait de recommencer.

– Je vais préparer la tarte, annonça-t-elle en dépassant le géant pour gagner la cuisine.

Il mit un moment pour la rejoindre, et lorsque enfin il arriva, il faisait une drôle de tête.

– Ça va ? s'enquit-elle en coupant l'eau dont elle venait de se servir pour laver les pommes. Mes histoires de famille te font flipper ? Tu veux que je te ramène chez toi ?

– C'est chez Aidan, pas chez moi.

Il s'appuya au montant de l'arche qui séparait le coin repas du reste de la cuisine. La maison ne comportait pas de salle à manger, ce qui convenait parfaitement à Stacey, car elle n'en avait pas l'usage.

Connor l'examinait avec attention, présence puissante, envahissante dans la minuscule cuisine.

– Je suis censé flipper parce que tu as un enfant ? demanda-t-il enfin, les bras croisés – une position qu'elle connaissait bien, maintenant, et qui mettait en valeur ses biceps appétissants.

Il occupait les pensées de Stacey au point de lui donner une conscience aiguë de sa présence. Une personnalité exceptionnelle dans un corps exceptionnel, c'était trop. *Il* était trop.

– Je ne sais pas.

Elle secoua la passoire pour faire tomber l'eau restante.

– Tu avais l'air bizarre.

– J'ai eu deux jours difficiles.
– Tu veux en parler ?
– J'aimerais, oui.
– OK. Envoie.

Elle fouilla dans un des placards du bas, à la recherche de son économe.

– Je ne peux pas.
– Évidemment, lança-t-elle d'un ton caustique, pour dissimuler une déception et une tristesse déraisonnables.
– Tu ne me croirais pas.
– Tandis que là, je suis censée te croire sur parole, hein ? lui demanda-t-elle en le regardant droit dans les yeux. Puisque tu ne me donnes rien d'autre.

Le silence s'installa, se prolongea. La jeune femme sentait Connor en proie à un conflit intérieur, désireux de lui confier quelque chose d'important, mais elle n'avait pas la moindre idée de ce dont il pouvait bien s'agir.

Ce qui la poussa à se lancer dans les suppositions.

– Tu ne vas pas t'installer dans la vallée pour de bon, je suppose ?
– Je vais devoir voyager, répondit-il, les sourcils froncés.
– Ah.

Elle soupira.

– J'espère que tu n'as pas l'intention de me proposer d'être un couple libre, genre on est ensemble quand tu es en ville, mais on redevient célibataires quand tu repars ? Parce que je marche pas.
– Je ne suis pas un salaud, Stacey, déclara-t-il avec une dignité tranquille. Tu ne peux pas me placer un peu plus haut dans ton estime ?

Quand la jeune femme se mit à danser nerveusement d'un pied sur l'autre, Connor se traita d'imbécile en son for intérieur: il était en train de tout gâcher, mais il ne savait pas comment arranger les choses.

Il avait envie d'être avec elle.

C'était aussi simple et aussi compliqué que ça.

— Désolée, soupira Stacey, avant de lever brusquement les mains, exaspérée. C'est juste... Je ne sais pas ce que tu fais là. Ni pourquoi tu me regardes comme ça. Ni quoi dire ou quoi faire.

Je suis là parce que je ne pouvais pas te laisser rentrer chez toi toute seule avec les monstres qu'il y a dehors. Je te regarde comme ça parce que je suis allé dans ta chambre et que j'ai touché les couvertures qui te tiennent chaud la nuit. Je veux que tu me demandes d'y retourner. Avec toi.

Elle repoussa d'une main impatiente la masse de boucles sombres qui encadrait son visage. Il savait ce qu'elle voulait: des promesses et la stabilité, même si elle ne la demandait pas pour l'éternité. Seulement il ne pouvait rien garantir, hors l'instant présent. Peut-être se retrouverait-il cette nuit même dans un avion, incapable de dire quand il reviendrait. La meilleure manière de veiller à la sécurité de la jeune femme, c'était d'éliminer le danger avant qu'il ne l'atteigne.

Aidan avait raison. Elle ne trouverait jamais pire que Connor, mais ça n'empêchait pas quelque chose en lui de s'obstiner à la déclarer sienne, à vouloir veiller sur elle.

— Tu as des outils ? demanda-t-il en se redressant.

Il fallait qu'il s'occupe. Physiquement. Pendant que son cerveau travaillait à résoudre son dilemme. Sinon, il se jetterait sur elle dans moins d'une minute, et la cajolerait jusqu'à se retrouver aussi emmêlé à elle qu'il en avait envie... ou besoin – désespérément. Corps à corps. Elle lui nouerait les jambes autour des hanches, lui planterait les ongles dans le dos...

— Seulement les basiques.

Se rendait-elle compte que ses yeux verts étaient extraordinairement expressifs ?

— Dans un seau jaune, juste à côté de la porte.

— Je vais m'y mettre.

— Merci.

La reconnaissance que trahissait sa voix faillit faire pousser à Connor – enfin, à la facette primitive de sa psyché – un hurlement de triomphe : elle avait besoin de quelque chose et il pouvait le lui fournir.

Elle était *sienne*.

Connor ne s'était jamais montré aussi possessif envers l'une de ses conquêtes, mais depuis qu'il avait rencontré Stacey, il ne se sentait plus lui-même.

Le seau jaune à la main, il ouvrit la porte moustiquaire et sortit sur la véranda. Grâce à un jardin d'une taille respectable, qui s'étendait des parterres de fleurs à la clôture, la rue était tenue à distance.

C'était une maison adorable. Originale et charmante. Parfaitement assortie à Stacey, dont elle révélait une facette inattendue. Connor avait envie de rester dîner et de regarder un autre film avec elle. De lui faire l'amour, vraiment bien cette fois. Longuement. Toute la nuit. De se réveiller avec son délicieux petit cul se tortillant sur sa queue. Mais ils seraient nus cette fois. Il n'aurait qu'à poser la jambe de la jeune femme sur sa hanche pour la pénétrer par-derrière...

La porte claqua derrière lui.

– Ça ne va pas du tout, grogna-t-il en se retournant pour la fixer d'un regard noir.

Il posa les outils et se mit au travail, chassant par un effort de volonté Anciens et Cauchemars de son esprit. C'était son dernier jour avec Stacey. Il l'avait accompagnée parce qu'il avait peur de la laisser repartir seule, mais maintenant qu'il était là, il avait la ferme intention de profiter des heures qu'il leur restait comme s'il ne devait plus jamais connaître de lendemain.

Parce que pour eux, il n'y en aurait plus jamais.

chapitre 9

— Et voilà !

Connor se redressa, se planta sur la marche réparée et se mit à sauter dessus de tout son poids. Elle supporta magnifiquement ce traitement indigne.

— Mmmh, roucoula Stacey.

Il leva les yeux juste à temps pour la voir pousser la porte moustiquaire.

Le regard de la jeune femme n'était pas neuf pour lui. D'autres qu'elle l'avaient contemplé de cette manière au fil des siècles, mais c'était la première fois pour *elle*. Ce qui, ajouté à la manière dont elle s'humectait distraitement les lèvres, fit bouillir le sang de Connor.

— On dirait que tu vas me dévorer tout cru, mon cœur, murmura-t-il d'une voix rauque.

— Tu es torse nu là-dehors depuis le début ? s'enquit-elle, le souffle court.

Elle s'était fait des couettes adorables et tenait deux verres d'un liquide rougeâtre où flottaient des glaçons. Sa coiffure de gamine ajouta encore à l'excitation de Connor. Stacey n'avait absolument rien d'immature, mais son allure évoquait des jeux de rôle auxquels il aurait adoré s'adonner avec elle.

– Ça doit faire une demi-heure.
– Je regrette d'avoir raté ça.
– Je suis toujours là, fit-il remarquer, souriant.

Comme elle avait l'air de se demander si elle n'allait pas accepter la proposition, il décida de l'aider à se décider en caressant à travers son jean toute la longueur de son érection.

– Seigneur, quel culot, murmura-t-elle, fascinée.
– Tu me veux, je te veux, dit-il avec simplicité. Mon corps est prêt. Inutile de prétendre le contraire.

Elle expira longuement, puis sourit avec une gaieté forcée qui ne monta pas jusqu'à ses yeux, embrumés par la perplexité et le désir.

– Je me suis dit que tu aurais peut-être envie d'un petit jus de canneberge.

Le géant savait quand insister, mais aussi quand laisser tomber.

– Je veux bien, merci.

La nourriture était meilleure, ici. Il fallait reconnaître ça au plan des mortels. Les plats chinois s'étaient révélés extraordinaires, de même que le jus d'orange par lequel il avait remplacé le café au petit matin. Il imaginait très bien une vie passée à se goinfrer, puis à brûler les calories excédentaires au lit avec Stacey.

Le paradis. Le rêve.

– Hé ! reprit-il, l'air exagérément surpris, la main en coupe autour de l'oreille. Tu entends ?

Elle se figea sur la troisième marche, le front plissé par un froncement de sourcils, puis ses yeux s'écarquillèrent.

– Tu as réparé la porte ! s'exclama-t-elle en jetant un coup d'œil par-dessus son épaule.

Son sourire ravi frappa Connor avec force, parce que cette fois, il illumina ses beaux yeux verts. Il haussa les épaules, gonflé de fierté virile.

– Techniquement, c'était le petit machin en métal qui ne marchait pas.

Elle descendit les dernières marches, lui tendit un verre et lui attrapa un doigt entre deux des siens.

– Merci.

Il resta un instant immobile, se forçant à respirer lentement.

Après un moment, elle détourna les yeux, lui lâcha le doigt et alla s'accouder à la balustrade de la véranda. Comme il ne savait pas quoi dire devant son air mélancolique, il se laissa tomber sur la balancelle et but la moitié de son jus de canneberge.

– Si ta famille a tant l'esprit militaire que ça, pourquoi tu as quitté l'armée ? s'enquit soudain Stacey. Tu as été blessé ?

Il inspira brusquement en se demandant que répondre, mais finit par comprendre qu'il ne pouvait que lui dire la vérité.

– Je ne faisais plus confiance à notre gouvernement, avoua-t-il, attentif à sa réaction. Quand j'ai cessé de croire qu'il agissait dans l'intérêt de notre peuple, j'ai quitté mon poste.

– Oh.

Elle le regarda avec compassion.

– Je suis désolée. Tu as l'air tellement déçu.

Et elle avait l'air de s'en soucier. De se soucier de lui. Connor sentit une vague de chaleur l'engloutir, embrumant sa peau de sueur. Il ne partageait ses émotions qu'avec Aidan, lequel lui dispensait un réconfort très différent de celui qu'il trouvait auprès de Stacey. Elle lui donnait envie d'aller plus loin, de se livrer davantage, de resserrer le lien qui les unissait, parce qu'il se sentait plus fort du seul fait qu'elle était là.

– Je *voulais* leur faire confiance.

Il se balançait doucement dans la brise délicieuse de l'après-midi, et respirait l'arôme d'herbe coupée, mêlé au parfum des fleurs plantées par Stacey autour de la véranda. Il n'était pas chez lui, mais ici, il s'y sentait.

– Quand on comprend qu'on s'est menti parce que la vérité était trop pénible à accepter, ça met une claque.

– Connor...

Elle soupira et le rejoignit. Le géant lui fit une place à côté de lui.

– Qu'est-ce que tu vas faire, maintenant ? ajouta-t-elle, le regard plongé dans son verre.

– Je ne sais pas. Quand Aidan sera guéri, on y réfléchira.

– Tu travailles aussi pour McDougal ?

– Non.

– Tu vas rester combien de temps ?

– Je ne sais pas. Pas longtemps. Un jour de plus, peut-être.

– Oh...

Ils passèrent un moment à se balancer sans mot dire, elle tripotant son verre, lui l'observant de sous ses paupières mi-closes. Comme elle avait enfilé un débardeur rose et un combishort qui dévoilait ses jambes minces, il les contemplait avec passion, fasciné par les muscles de ses cuisses qui se contractaient au rythme des poussées imprimées à la balancelle.

— Je parie que tu es impatient de partir.

— Pourquoi tu dis ça ? demanda-t-il dans un sourire triste.

Elle engloba les alentours d'un grand geste de la main.

— Tu dois t'ennuyer.

— Ah ?

Il passa un bras autour de sa taille fine pour l'attirer contre lui.

— Qu'est-ce que tu ferais, si je n'étais pas là ?

Elle haussa les épaules.

— Le ménage. La lessive. Il m'arrive aussi d'aller au ciné, voir le film d'action qui vient de sortir.

— Tu ne fréquentes personne ? demanda-t-il avec douceur.

— C'est rare que j'aie le temps de sortir.

Elle lui jeta un coup d'œil furtif.

— Et puis la plupart des hommes ne s'intéressent pas aux mères célibataires.

— Tu n'es pas que ça.

Les doigts de Connor remontèrent jusqu'à l'endroit où le combishort dévoilait le débardeur. Le géant caressa de côté le sein de Stacey, qu'il sentit frissonner tout entière.

— Tu es aussi une femme.

— On ne peut porter qu'une casquette à la fois.

— C'est vrai, murmura-t-il, mais on peut en changer de temps en temps.

— Tout le monde n'est pas capable de coucher juste pour le fun, riposta-t-elle, la tête haute.

— Je suis d'accord.

Elle se pencha de côté, tournée vers lui.

— Comment tu fais, toi ?

— Pourquoi veux-tu le savoir ? s'enquit-il, les narines palpitantes.

— Ça pourrait m'être utile.

— Mon cœur...

Il la tira brusquement vers lui et la colla contre son torse. Le jus de canneberge que la jeune femme tenait déborda de son verre et tomba sur le plancher de la véranda, mais aucun d'eux n'y prêta attention. Elle hoqueta, sa bouche entrouverte située à quelques centimètres à peine de celle du Viking.

— Même si tu me payais, je ne t'apprendrais jamais à le faire.

La seule pensée qu'un autre homme puisse la toucher emplit Connor d'une colère fébrile. Il serra les dents et ses doigts s'enfoncèrent dans la chair de la jeune femme.

Inconsciente de sa dangereuse possessivité, Stacey s'humecta la lèvre inférieure du bout de la langue. Le géant sentit son sexe durcir entre eux et la jeune femme abaissa ses longs cils.

— Mais comme ça, je pourrais le faire avec toi, murmura-t-elle, séductrice.

Il la fixa un instant, surpris, avant de grogner :

— Je ne veux pas coucher avec toi « juste pour le fun ».

— Ah bon ?

Il secoua la tête, posa son verre sur la petite table en fer forgé qui attendait près de la balancelle, puis plaça ses mains des deux côtés de la colonne vertébrale de Stacey, entamant alors un lent massage dans le seul but de l'entendre gémir.

— Je n'ai pas envie de partir. Je ne me suis pas occupé de toi comme j'aurais dû. Je devrais me foutre des baffes pour m'apprendre à ne pas perdre le contrôle quand je devrais le garder.

– J'aime que tu sois sauvage, protesta-t-elle, rougissante, les yeux baissés vers son torse nu, qu'elle caressait de la main.

– Mais tu vas me préférer sous contrôle, assura-t-il en lui prenant son verre pour le poser près du sien.

Il la fit pivoter de manière qu'elle lui tourne le dos, puis l'installa confortablement, adossée contre lui, avant de se rallonger, les bras noués à la taille de la jeune femme, le menton sur sa tête. Puis remit en branle la balancelle qui recommença à osciller doucement.

– Je pourrais vivre comme ça, reprit-il, les yeux clos, heureux de la chaleur du corps voluptueux appuyé au sien.

Ses mains se glissèrent dans le combishort pour se refermer sur les beaux seins lourds.

À moi.

Mais il devait la quitter pour la protéger.

– Il faut que j'aille jeter un coup d'œil à la tarte, dit-elle d'une voix faible, sans vraiment chercher à lui échapper.

– Je ne sais pas comment passer au travers, marmonna Connor, contrarié.

– Au travers de quoi ?

Cette fois, elle se débattait. Il la lâcha donc à regret.

– Ta carapace.

– Ma *quoi* ?

Elle s'était levée et reculait.

– Tu ressembles à ces bestioles écailleuses, très, très lentes, qui se cachent dans une carapace.

– Une *tortue* ? Je ressemble à une tortue ?

– Oui, acquiesça-t-il d'un ton grave, c'est ça. Une tortue qui mord.

L'indignation de Stacey était indéniablement comique, mais il s'interdit d'en sourire. Ils n'avaient pas le temps de tourner autour du pot.

– Tu sais quoi ? le prit-elle à parti, les poings sur les hanches, la poitrine soulevée par l'agitation. Ce n'est pas juste de me demander de coucher avec toi pour autre chose que pour le fun, quand tu t'en vas demain.

– Je sais.

– Alors arrête !

– Je ne peux pas, dit-il en toute simplicité. Je te veux tellement que j'en ai mal.

Elle le fixa un instant d'un œil noir, puis fit volte-face et rentra comme une furie. Il jura tout bas en se rasseyant : c'était ridicule, il fallait absolument qu'il s'en aille et s'éclaircisse les idées. Il avait déjà assez à faire sans compliquer les choses en attisant une attirance qui défiait la logique.

Rien ne devait l'entraver ni le retenir ; d'où la nécessité de partir. Stacey avait besoin d'un homme présent, qui la soutienne et qui prenne soin d'elle.

Connor se leva. Il allait appeler un taxi et rentrer chez Aidan, où il travaillerait jusqu'au réveil des deux amants. Dans un jour ou deux, il serait loin. En attendant, il lui suffirait d'éviter Stacey.

À peine avait-il mis le pied dans la maison qu'une odeur de cannelle, de beurre et de pommes le saisit.

Il s'arrêta sur le seuil et parcourut du regard le minuscule salon.

Les murs étaient peints d'un jaune très pâle, le divan et l'énorme fauteuil tendus de tissu à rayures bleues et blanches et la table basse et le bout-de-canapé cabossés portaient des éraflures qui mettaient le visiteur à l'aise. La pièce était chaleureuse, accueillante – rien à voir avec son appartement de célibataire à l'ameublement spartiate qu'il habitait dans le Crépuscule. De toute façon, il ne passait pas beaucoup de temps chez lui, il préférait traîner chez Aidan.

Mais il avait envie de passer du temps dans cette pièce. Avec Stacey.

Il serra les dents, s'assit sur le sofa, détacha le téléphone de sa base puis tira les pages jaunes du panier en osier posé sous la table. Stacey entra dans la pièce pendant qu'il les feuilletait.

– Je vais te laisser... commença le géant en levant les yeux.

Avant de s'interrompre, bouche bée. Les couettes avaient disparu. Les chaussures aussi. Et le combishort n'allait pas tarder à suivre, car les doigts de la jeune femme s'activaient sur les boucles en métal des bretelles.

– Certainement pas, déclara-t-elle d'un ton farouche.

Elle plongea la main dans sa poche, en tira un chapelet de capotes et le lui lança dessus.

– Tu ne sors pas d'ici.

Connor rattrapa la bande d'aluminium, le moindre de ses muscles contracté à en être douloureux. À cela vint s'ajouter la vision du combishort tombant à terre, dévoilant des jambes souples et un minuscule string rouge. Le pénis du géant durcit instantanément. Il gémit.

Se maîtriser ? Il s'imaginait qu'il arriverait à se maîtriser s'ils refaisaient l'amour ? Il avait perdu la tête.

– Qu'est-ce que tu fais, mon cœur ? demanda-t-il d'une voix rauque.

Stacey arqua le sourcil, attrapa son débardeur par l'ourlet et le fit passer par-dessus sa tête avec une telle brusquerie que sa superbe poitrine tressauta violemment. Les plus beaux seins qu'il ait jamais vus. Pâles, couronnés de longs mamelons roses. Il avait tellement envie de les sucer que l'eau lui en vint à la bouche et qu'il déglutit péniblement.

– Je me déshabille pour baiser, déclara la jeune femme d'un ton sec.

Cette fois, l'exclamation de surprise qui échappa à Connor fut étouffée par l'avidité charnelle qui l'empoignait brutalement.

Torturé par le désir, il regarda les doigts fins se glisser sous l'élastique du string pour le baisser, dévoilant un triangle de boucles sombres dessiné avec soin. Il refusait de cligner des yeux, incapable de bouger, empli d'un respect admiratif par la vision qui s'offrait à lui : un corps superbe, rebondi exactement aux endroits adéquats pour supporter une chevauchée ardente, et des yeux verts étincelants, brûlants de passion. Une passion où la colère entrait pour moitié, évidemment, mais il n'aurait aucun mal à en venir à bout s'il arrivait à faire fonctionner son cerveau.

Stacey s'avança dans le salon, magnifiquement vivante. Il avait un problème, il le savait. L'estomac noué, la respiration erratique... Jamais il n'avait rien connu de tel, même confronté à une légion de Cauchemars. Il lui semblait que chacun des pas qui la rapprochaient de lui seraient pour toujours impossible à refaire en sens inverse. Sa peur était aussi intense que son désir.

Déjà, elle s'installait à califourchon sur ses genoux, et la moindre des laborieuses inspirations du Viking lui apportait l'odeur de sa cavalière. Le parfum d'une femme sensuelle, volontaire et excitée, qui ne ressemblait à aucune de celles qu'il avait connues auparavant.

La peur de Connor se fondit dans une impression de justesse indéniable. La passion de Stacey n'allait pas le piéger. Au contraire, il la désirait, la désirait, elle – un tiraillement obsédant qui ne s'interrompait que quand il tenait la jeune femme dans ses bras.

Lorsqu'elle s'attaqua au bouton et à la fermeture de son jean, les doigts fins qui frôlaient son sexe le tirèrent brusquement de sa stupeur. Il glissa la main entre les jambes de sa partenaire pour s'insinuer dans son intimité, qu'il découvrit trempée et brûlante.

– Oui, souffla-t-elle en tirant plus fort sur le bouton du jean, difficile à enlever vu la position assise de Connor.

– Laisse-moi te dévorer, dit-il d'une voix rauque, avide de sentir le goût de la jeune femme sur sa langue.

Elle se raidit tout entière et, les yeux mi-clos, fixa son regard sur la bouche du géant. Il se mordit la lèvre puis la relâcha lentement, pendant que Stacey frissonnait sous ses caresses. Titillant langoureusement le clitoris engorgé, il se lécha les babines comme un loup affamé. Stacey gémit et ses tétons se tendirent plus encore, juste sous le nez de Connor.

Il se pencha pour en sucer un, mais ce n'était pas assez, aussi empoigna-t-il l'autre sein de sa main libre et se mit-il à le pétrir avec ardeur. La chair alourdie de désir gonfla dans sa paume. De sa langue, il parcourut le mamelon dressé coincé contre son palais tandis qu'il continuait de caresser l'entrejambe de Stacey, qui se cabrait et lui plantait ses ongles dans les épaules, poussant des miaulements et des cris étouffés.

Il passa deux doigts dans les plis moites et brûlants de sa chatte, puis les introduisit en elle. Son sexe trempé se contracta avidement autour de l'index et du majeur qui entamaient un va-et-vient adroit, car Connor œuvrait avec tout le talent dont il était capable pour qu'elle mouille de plus belle et supplie qu'il vienne en elle.

– Je t'en prie... prends-moi...

Il adorait ça, il ne s'en lasserait jamais. Pas par orgueil, mais par générosité. Parce qu'il voulait la rendre heureuse – il voulait être l'homme capable de la rendre heureuse.

– S'il te plaît, Connor... !

Il suçait toujours le mamelon raidi, le mordillait, le faisait rouler entre ses lèvres, le titillait de la langue. Elle se mit à onduler des hanches au rythme des allées et venues des doigts inquisiteurs, se soulevant puis retombant pour les chevaucher, si trempée à présent qu'il l'entendait autant qu'il la sentait faire – des bruits humides d'un tel érotisme qu'il eut peur de craquer et de jouir dans son caleçon.

Il ressortit les doigts et libéra le téton humide, qui jaillit à l'air libre avec un petit bruit mouillé.

– Je veux goûter ta chatte... gronda-t-il en attrapant Stacey par la taille.

Sans attendre que Stacey réagisse, le géant s'allongea de tout son long sur le canapé, puis attira au-dessus de sa bouche l'entre-jambe dégoulinant.

Un cri de surprise échappa à la jeune femme, aussitôt suivi d'un râle où perçait le nom de Connor, car déjà il avait relevé la tête et léchait de sa langue brûlante l'entrée de son vagin.

La queue du géant durcit tellement au moment où il la goûta que son jean se transforma en étau douloureux. Il s'en libéra avec un soupir de soulagement, d'autant plus que la fraîcheur de l'air apaisait – un peu – son excitation.

– Plus bas, exigea-t-il d'un ton guttural, en obligeant sa compagne à plier les jambes.

Stacey cligna des yeux, le regard rivé au Viking allongé entre ses cuisses écartées, obscènes et trempées. Jamais elle n'avait eu autant envie de faire l'amour. Il la caressait, la dévorait exactement comme elle l'avait espéré.

Un peu plus tôt, en sortant la tarte du four, elle s'était demandé ce que ce serait de sortir avec Connor. Ce qu'il se serait passé s'ils en avaient été au début de leur histoire et non à la fin. Comme il passait son temps à la toucher et à la chercher, il aurait probablement été du genre à la prendre sur la table de la cuisine plutôt que de perdre une minute à se rendre dans la chambre. Elle l'avait imaginé arrivant derrière elle pendant qu'elle faisait la vaisselle, lui baissant son short puis s'enfonçant en elle.

C'était un mâle primitif, extraordinairement sensuel, et elle avait envie de lui. Elle n'avait jamais rencontré un homme pareil – peut-être n'en rencontrerait-elle jamais plus. Le sexe pur et dur, sans retenue, sans interdit, ça ne lui était arrivé qu'une fois auparavant. La veille, avec lui. Et ç'avait été phénoménal. N'allait-elle pas regretter, plus tard, de ne pas en avoir profité davantage, quand elle en avait l'occasion ?

C'était à ce moment-là, une tarte aux pommes brûlante dans ses mains gantées, qu'elle avait pris sa décision : elle était une grande fille, elle saurait gérer. Après tout, il y avait pire dans la vie que deux nuits avec un type qui vous plaisait et à qui vous plaisiez.

– Plus bas, répéta Connor en l'attirant vers lui, les lèvres entrouvertes, brillantes, le regard avide. Assieds-toi sur moi, je veux te prendre avec ma langue.

Elle frissonna de tout son corps. C'était aussi le genre d'homme à aimer vous sucer, vous rendre folle, vous posséder de cette manière tellement personnelle. Vous marquer, vous faire sienne.

Aujourd'hui, elle voulait être sienne.

Cramponnée au dossier du canapé de crainte de perdre l'équilibre, Stacey se laissa descendre en refoulant de petits cris, à cause du souffle brûlant qui courait sur sa peau humide.

– Oui, haleta-t-il en lui empoignant les fesses de ses grandes mains pour la diriger vers lui.

Il commença par de longs coups de langue qui prenaient le temps d'explorer chacun des creux et sillons de Stacey, le souffle court contre sa chair, mais il effleura à peine son clitoris.

– Là, juste là, gémit-elle en suivant ces mouvements affolants.

Une pression un peu plus appuyée aurait suffi à la faire jouir, aussi ondulait-elle des hanches afin de traquer la langue provocatrice, mais Connor savait parfaitement ce qu'il en était et penchait la tête en arrière pour s'écarter de la petite perle gonflée. Puis il plongea sa langue en elle.

– Oh, mon Dieu ! Mon Dieu, mon Dieu !

Stacey tremblait comme une feuille, les doigts crispés à en blanchir sur le dossier du canapé.

Il l'attira plus bas encore, en la tenant par les hanches pour la presser contre sa bouche et faire aller et venir sa langue en elle, vite et fort. Le bruit de sa succion ardente enivra Stacey, qu'il dévorait avec des grondements affamés.

L'orgasme de la jeune femme fut d'une violence dévastatrice. Ses yeux se fermèrent, ses dents se serrèrent, mais son silence ne fit qu'exciter la passion de Connor. Il la souleva, puis l'assit sur la table basse en roulant de côté, avant de se redresser, les lèvres contre son oreille, la main gauche sur sa hanche, la droite entre eux pour se positionner correctement. Un coup de reins, et Stacey se retrouva clouée au bois de toute la longueur de l'énorme verge qui venait de la pénétrer.

Elle ne put retenir un cri de plaisir stupéfait, puis sa respiration se bloqua quand Connor plongea la main dans ses cheveux pour lui tirer la tête en arrière. Le grand corps musclé qui l'enveloppait la dominait, la possédait, intérieur et extérieur, lui imposait jusqu'à son souffle : elle ne pouvait inspirer que l'air qu'il venait d'expirer.

– Tu es à moi, gronda son partenaire en la collant brusquement à lui.

Rien ne les séparait plus. Le pénis de Connor se contracta puissamment en Stacey, comme s'il lui disait : *Je suis en toi. Une partie de toi.*

La sensation se mêla en elle aux dernières palpitations de l'orgasme. Son vagin se resserra autour de l'énorme verge, ravivant les spasmes espacés de sa jouissance.

Connor poussa un grondement profond quand les contractions de sa compagne parcoururent toute la longueur de sa queue. Son front humide de sueur se pressa contre celui de la jeune femme.

– Tu es faite pour moi.

Ils s'emboîtaient en effet à la perfection, quoique un peu étroitement. Avant leur rencontre, elle se serait crue incapable d'admettre en elle un sexe aussi gros, mais le beau Viking l'excitait tellement qu'elle mouillait suffisamment. Elle ondula du bassin, décrivant un cercle pour mieux prendre conscience de la taille du pénis gigantesque plongé en elle.

– Oh ! haleta-t-elle, tous ses muscles tendus à l'extrême, prêts pour la suite.

– Oui, ronronna-t-il en jouant lui aussi des hanches sans s'arrêter, presque sans y penser, ses testicules pesants battant contre les fesses de Stacey. C'est bon... foutrement bon...

– Baise-moi, implora-t-elle, roulant des hanches contre lui, les mains posées à plat derrière elle sur la table basse pour rester en position assise.

Elle se sentait féminine, désirable et passionnée jusqu'au bout des ongles, une impression qu'elle n'avait pas éprouvée depuis beaucoup trop longtemps.

– C'est ce que je suis en train de faire, mon cœur.

Connor se souleva légèrement, offrant à Stacey la vision de ses abdominaux musclés, luisants de sueur et lui révélant aussi qu'il portait toujours son jean et ses bottes. Cette constatation ne fit qu'accroître l'excitation de la jeune femme : un homme qui la désirait au point de ne pas perdre de temps à se déshabiller...

C'est alors qu'elle repéra le chapelet de capotes oublié sur le canapé. Ses yeux écarquillés se posèrent ensuite à l'endroit de leur conjonction, à Connor et elle, mais il se retira, la verge enrobée de sucs luisants, parcourue de veines palpitantes.

– Capote ! haleta Stacey tandis qu'il replongeait lentement en elle et qu'elle se mettait à suer, car il faisait monter sa température corporelle.

– Je me retirerai, gronda-t-il en ressortant puis en replongeant plus profondément, plus puissamment, quoique tout aussi lentement. C'est tellement bon...

– Oh...

Des spasmes de plaisir impuissant la secouèrent. Cette queue magnifique, encore plus merveilleuse à absorber qu'à regarder, l'emplissait si parfaitement qu'elle en sentait la moindre caractéristique. Lorsque le petit rouleau de peau sous le large gland évasé caressa en elle un point ultrasensible, ses orteils se raidirent. Elle ne voulait surtout pas gâcher un moment pareil, mais...

– Je... je ne prends pas la pilule.

Connor ne perdit rien de sa superbe. Ce qui aurait constitué pour la plupart des hommes une véritable douche froide le laissa indifférent. Il attira Stacey jusqu'au bord de la table et exécuta deux allers-retours rapides.

– Je ne peux pas te mettre enceinte et je suis en parfaite santé.

Elle gémit tandis qu'il accélérait le mouvement, contractant puis décontractant ses abdominaux à un rythme précis. Penché sur elle, et bien que la retenant, il la faisait reculer sur la table. Les yeux levés vers lui, elle se sentit fondre sous la chaleur de son regard, affolée par la vision de cet homme superbe en plein effort, devant elle et en elle.

– Tu es la seule, dit-il d'une voix rauque. Ça n'a jamais été réel avec les autres.

Sous les poussées de Connor qui la rapprochaient d'un nouvel orgasme, le corps de Stacey se cambra. Le géant lâcha ses cheveux, posa ses deux mains sur la table près des épaules de la jeune femme puis se mit à poignarder sa chatte à grands coups de reins impitoyables.

– Tu es la seule, répéta-t-il, ses yeux d'une franchise inébranlable, droit dans les siens.

Stacey jouit dans un cri, tordue sous lui, les jambes nouées à ses hanches, les orteils contractés par un plaisir intense qu'il prolongea habilement en frottant de son gland l'endroit sensible qu'il avait repéré en elle et en lui chuchotant des compliments.

Connor ne consentit à se retirer que lorsqu'elle l'en supplia d'une voix défaillante.

– ... *Pas plus...*, réussit-elle à articuler.

Dressé au-dessus d'elle, le poing fermé sur sa queue, le géant se branla jusqu'à répandre en jurant d'une voix rauque des giclées laiteuses brûlantes sur les seins affolés de Stacey.

Moment primitif et cru, à la suite duquel il la prit dans ses bras pour l'entraîner sur le canapé, où douceur et beauté les enveloppèrent.

Leurs deux corps tremblaient et leurs cœurs battaient au même rythme affolé.

De son accent craquant, alourdi par l'émotion, Connor murmura son nom et Stacey sentit son cœur chavirer.

chapitre 10

— Ils ont la trinité.

Les sourcils froncés, Michael se laissa tomber sur le banc de pierre installé sous un arbre, dans la cour de l'Académie.

— C'est ennuyeux.

Comme à son habitude quand elle était nerveuse, Rachel se mit à faire les cent pas. Même en état de rêve, l'Ancienne débordait d'énergie, ce qui ne l'empêchait pas de se concentrer sur les problèmes les plus pressants. Cette agitation physique associée au calme mental dont elle était capable formait une puissante combinaison.

— Cette sale rouquine... reprit-elle, exaspérée. Plus les jours passent et plus nos créatures se rebellent. Et refusent d'obéir aux ordres. Même avec les puces cérébrales, elles deviennent dures à contrôler.

— Quand elles ne sont plus utiles, débarrasse-t'en.

— Je sais ce que j'ai à faire, Sheron, mais l'une d'elles s'est ouvert le crâne pour en retirer la puce. Maintenant, il faut partir du principe que les autres en sont capables aussi.

Il était au courant, évidemment. Il était au courant de tout ce que contenait le cerveau astucieux de Rachel, parce qu'il s'y trouvait et qu'ils œuvraient ensemble depuis des siècles. Mais l'Ancienne détestait l'idée qu'il soit dans son esprit et préférait agir comme si ce n'était pas le cas. Michael l'écoutait donc raconter ce qu'il savait déjà.

– Laisse donc les capitaines Cross et Bruce se charger des plus dangereux, murmura-t-il. Ça les occupera, et toi tu as mieux à faire. Il nous faut la trinité. Tu n'aurais pas dû charger une de ces créature de la récupérer.

– Je n'avais pas le choix. Je devais être présente à ton audience. Mais maintenant que je me suis portée volontaire pour me rendre sur le plan des mortels, nous allons être beaucoup plus libres de nos mouvements. Je n'aurai plus à faire semblant d'être ici alors que je suis là-bas.

Quand elle fit volte-face, ses longues tresses noires volèrent par-dessus son épaule. Michael ne pouvait s'empêcher de l'admirer, alors même qu'il la méprisait.

– Je dois me méfier d'au moins la moitié des hommes que j'ai emmenés, se plaignit-elle, car ils ne sont ni à mon service ni au tien, mais à celui des Anciens en général. Les créatures sont de vraies bêtes sauvages, mais au moins, grâce aux puces, elles me sont loyales... Enfin, tant que les Cauchemars n'ont pas complètement détruit leur esprit.

Michael examina l'Académie en chassant une feuille tombée sur le revers de sa large manche. L'établissement n'avait pas changé dans les rêves de l'Ancienne, il était resté tel qu'à l'époque de ses études. Les deux complices s'étaient retrouvés dans la cour centrale, gravillonnée et ombragée par des arbres immenses. Tout autour s'élevaient divers amphithéâtres à ciel ouvert dans lesquels se déroulaient les entraînements au combat. Et au sud se dressait un grand bâtiment réservé aux cours théoriques.

– Il est temps de passer à l'étape suivante, déclara enfin Michael.

Rachel se figea, ses yeux verts écarquillés.

– Je commençais à me demander si tu te déciderais un jour.

Elle insistait depuis des semaines pour passer à l'action, mais il avait préféré attendre. Ç'aurait été du gaspillage d'utiliser un outil pareil sans être sûr de ses effets dévastateurs. Mais l'heure était venue.

– Ne doute jamais de moi, dit-il en se levant.

Puis, sans quitter des yeux son interlocutrice, il rabattit son capuchon sur sa tête.

– Il sera fait comme nous en avons décidé.

– Parfait.

Il s'inclina, puis gagna la limite du faisceau.

– On se retrouve dans ton prochain rêve.

*
**

En contemplant la femme qui somnolait dans ses bras, Connor comprit qu'il avait un gros, un très gros problème.

Son torse comprimé et brûlant rendait sa respiration difficile. Chaque inspiration lui apportait l'odeur du sexe et de la sueur, chaque expiration le rapprochait du départ.

Stacey était très belle dans son demi-sommeil. Les rides de stress et de nervosité qui lui entouraient en général les yeux et la bouche s'effaçaient: son visage à la peau crémeuse, aux sourcils arqués et à la bouche rouge cerise, redevenait d'une jeunesse adorable.

Le géant se serait volontiers réveillé de cette manière tous les matins. Avec cette femme. Dans cette maison. Il avait entraîné assez de jeunes de l'Élite pour se sentir capable d'aider Justin. Il connaissait ce genre de gamin et savait à quoi menait le manque de figure paternelle pour l'avoir vu chez Aidan. Ce ne serait pas facile, mais ça en valait la peine. Connor posa la main sur la joue de Stacey et lui caressa la pommette avec le pouce – *elle* en valait la peine.

Il l'attira plus près de lui pour l'embrasser et pressa ses lèvres contre la jolie bouche entrouverte. Au gémissement qu'elle exhala, il resserra son étreinte. Il aurait aimé la garder près de lui, la découvrir, se donner à elle. Peut-être que ce qui lui plaisait aujourd'hui lui plairait toujours dans un mois, dans un an, dans des années.

Une promesse. Ce qui était né entre eux ressemblait à une promesse, et l'idée qu'elle ne se réaliserait sans doute jamais le révoltait. La solitude, c'était très bien quand on aimait ça, mais quand on avait tellement envie de partager la vie de quelqu'un d'autre...

Il promena le bout de la langue sur les lèvres de Stacey puis s'empara de sa tendre bouche sensuelle, y plongeant lentement, langoureusement, enivré par le goût de la jeune femme, brûlant du désir de la posséder tout entière. Il aurait voulu dépasser l'impression d'urgence qui le tenaillait – l'impression qu'on risquait de la lui arracher à tout moment et de le priver d'un moment avec elle.

La main de Stacey se glissa dans ses cheveux, au creux de sa nuque, une caresse qui le bouleversa par sa simplicité. Stacey ne cherchait pas à exciter Connor mais à le serrer contre elle, à le garder près d'elle pour pouvoir l'épuiser une fois de plus par sa fougue renouvelée. Elle donnait autant qu'elle recevait, ardente dans le baiser, bouche affamée et exigeante pressée contre la sienne.

Il se remit sur pied, la soulevant dans le mouvement, puis s'engagea dans le couloir qui menait aux chambres sans cesser à aucun moment de l'embrasser.

– On va recommencer ? chuchota-t-elle rêveusement, lèvres à lèvres.

– Oh oui !

Il la hissa jusqu'à ses hanches, autour desquelles elle avait croisé les jambes. Le corps opulent étroitement serré contre le sien suffit à le rendre dur comme pierre. Elle avait encore la poitrine humide de sperme, *son* sperme, qu'il avait répandu sur elle, une manière crue de se l'approprier, au grand contentement de sa facette primitive. Aucun autre homme ne l'aurait. Il l'avait marquée, elle était sienne.

Les bras noués à son cou, la jeune femme se pencha en arrière pour regarder la verge fièrement dressée entre leurs deux corps.

– Tu as laissé les capotes au salon.

Il répondit par un grondement bas, frustré de ne pouvoir lui dire la vérité. Il savait pour avoir partagé les rêves d'Aidan qu'humains et Gardiens ne pouvaient pas procréer, malgré leurs ressemblances. Toutefois, Connor ne pouvait révéler à Stacey qu'il venait d'un autre plan d'existence sans ruiner ce moment, sinon la moindre possibilité d'avenir partagé.

– Je vais les chercher, assura-t-il.

Un lent sourire monta aux lèvres de la jeune femme, qui le serra dans ses bras. Frappé par sa tendresse comme par un coup de poing, il faillit trébucher, mais réussit à gagner la salle de bains jouxtant la chambre de la jeune femme. Là, il la posa par terre.

– Mets-toi sous la douche, mais ne te lave pas, ordonna-t-il en faisant demi-tour. Je veux le faire.

– Bien, mon capitaine, répondit-elle, malicieuse.

Il jeta un regard amusé par-dessus son épaule et cueillit la vision tentatrice d'une jeune femme penchée au-dessus du bac pour ouvrir les robinets. Émoustillé, le géant retourna chercher les préservatifs, ferma la porte d'entrée à clé puis regagna la salle de bains au plus vite.

Le bruit de la douche l'accueillit dès qu'il entra dans la pièce qu'il associa aussitôt à l'image de filets d'eau dévalant les courbes sensuelles de Stacey. Le sang du Viking ne fit qu'un tour. Se débarrassant de ses bottes, il engloba le décor d'un coup d'œil. Les murs lavande, le couvre-lit violet et les rideaux noirs diaphanes tirés devant les volets blancs à lattes donnaient à la pièce une ambiance exotique, comparée au côté campagnard du salon.

Cette dichotomie entre espace public et privé lui parut révélatrice. Le changement de cadre pousserait-il Stacey à exprimer un autre aspect de sa personnalité ? Pressé de le savoir, il jeta son jean par terre puis gagna la salle de bains. Sur le seuil, comme dans les autres pièces de la maison, il examina ce qu'il voyait, cherchant là encore des signes qui lui en révéleraient davantage sur la maîtresse des lieux. Les murs de la salle de bains étaient peints du même violet que le dessus-de-lit, tandis que le plafond était parsemé d'étoiles argentées : un soupçon de fantaisie.

– Je suis nue sous la douche, et toi, tu regardes le plafond ? s'amusa Stacey.

Il baissa les yeux vers la jeune femme, dont le séparaient des portes de verre coulissantes. Ses fantasmes incarnés l'attendaient, nimbés d'un nuage de vapeur. Il se remit en mouvement.

– Je me demande si c'est assez grand pour toi... reprit-elle en lui ouvrant une des portes et en battant de ses longs cils emperlés d'eau.

– Tu sais bien que j'aime les endroits étroits, lui rappela-t-il au moment de la rejoindre.

Il n'y avait en effet pas beaucoup de place, mais il s'en fichait. Ça signifiait juste qu'ils devaient se serrer l'un contre l'autre, ce qui lui convenait parfaitement.

Les mains de Stacey se posèrent délicatement sur son torse, dont les muscles se contractèrent en réaction. Elle parcourut du bout de ses doigts légers le moindre creux, la moindre surface dessinée par la peau de Connor, qui serra les dents, troublé, pendant qu'elle le contemplait avec fascination.

– Tu es tellement beau, déclara-t-elle dans un murmure où perçait une sorte d'étonnement inquiet.

Il prit son visage à deux mains pour l'obliger à le regarder en face.

– Dis-moi ce que je dois faire pour que ça marche.

Les yeux limpides de la jeune femme étincelèrent. D'un vert ardent, ils étaient magnifiques.

– Connor...

La résignation que trahissait sa voix le rendit malade.

– Il y a forcément un moyen.

– Lequel ? demanda-t-elle en toute simplicité. Combien de temps vas-tu partir ? Quand vas-tu revenir ? Et quand tu reviendras, ce sera pour combien de temps ?

– Je ne sais pas, putain.

Il lui poussa la tête en arrière pour s'emparer de sa bouche avec fougue, la meurtrir, la dévorer. La posséder. Cramponnée à lui dans le nuage de vapeur de plus en plus épais, elle gémit.

– Quand on veut quelque chose à ce point..., commença le géant.

– Ça fait mal, coupa-t-elle. Un point, c'est tout. Ça ne veut pas dire qu'on finit par l'avoir. Ni qu'on *peut* l'avoir.

– Conneries, cracha-t-il, furieux contre lui-même, contre les Anciens, contre les mensonges qui rendaient son départ inévitable.

– Je te l'ai dit. J'ai essayé de te prévenir.

Il frotta rudement sa joue contre celle de la jeune femme.

– Partir n'est pas une solution.

Elle rit tout bas.

– Tu es borné.

– Peut-être. Mais je ne supporterais pas que tu ne sois pas à moi.

– Tu es merveilleux pour mon ego.

– Arrête.

Il la secoua légèrement.

– Ne prends pas ça à la légère.

Elle soupira et le lâcha. Il l'attrapa, plaqua contre son érection le corps mouillé aux courbes affolantes.

– Connor. On n'a pas besoin de toute cette angoisse existentielle. C'est malsain.

– Angoisse existentielle ? ironisa-t-il. Connais pas. C'est un truc d'adolescents.

Stacey soutint son regard.

– Tu n'as pas vu l'enfer que vivent Lyssa et Aidan. Ils galèrent pour échanger un coup de fil entre deux vols. Ils restent debout jusqu'à pas d'heure juste pour entendre la voix l'un de l'autre. Ils souffrent comme des damnés chaque fois qu'il part pour plus d'une semaine.

– S'ils y arrivent, on peut aussi.

– Non.

Stacey secoua la tête.

– C'est différent. Ils se connaissaient avant, pas nous. Lyssa vivait seule, j'ai un enfant et un ex qui peut, ou pas, devenir plus présent dans ma vie. Aidan travaille pour un collectionneur de la région, toi...

Elle haussa les épaules.

– ... je n'en sais rien.

Le géant serra les dents et agita les hanches contre elle.

– Excellent argument, se moqua gentiment Stacey, mais il ne suffit pas de s'envoyer en l'air de temps en temps, même si c'est merveilleux, pour former un couple.

Connor aurait voulu la contredire, mais ne trouvait rien de raisonnable à lui répondre. Désarçonné, il resta juste là à la dévisager, les sourcils froncés.

– On peut au moins essayer.

– J'en ai assez de la solitude, Connor.

À la pensée de revenir et de la voir avec quelqu'un d'autre, il dut se retenir de hurler.

– Tu ne serais pas seule. Je serais à toi, même absent.

– Un homme dont la vie sexuelle est quasiment la vie tout court ne va pas se retenir pour moi !

– Putain !

Vexé par la remarque, il la repoussa et se servit en savon liquide. Il fallait qu'ils sortent de la douche. Au lit, il la convaincrait. Il la torturerait, il l'affolerait au point de la faire acquiescer à tout dans l'espoir qu'il la pénètre et remplisse son vide intérieur. Jamais plus elle ne regarderait un autre homme.

– Désolée.

Quand il lui posa les mains sur les seins, elle les couvrit des siennes.

– Je pensais à mes défauts plus qu'aux tiens.

– Des défauts ? J'aime le sexe. C'est même une de mes activités préférées, suivie de près par l'entretien de mon glaive, que je pratique le plus souvent quand les draps sont encore chauds.

Un sourcil noir à l'arc délicat se haussa.

– Et oui, mon cœur, poursuivit-il en serrant les beaux seins opulents. Il y a même une blague, tu sais, qui dit que je n'ai d'amour que pour mes lames : celle que je tiens entre les mains et celle entre mes jambes. Pas de câlins post-coïtaux, les femmes me voulaient pour le sexe, ni plus ni moins. Et ça m'allait très bien.

Des émotions mêlées traversaient le visage expressif de Stacey.

– Ah, murmura-t-il, souriant. Tu penses à la nuit dernière, hein ? Tu te demandes pourquoi je t'ai serrée dans mes bras sur le canapé, pourquoi on a dormi l'un contre l'autre et pourquoi tout à l'heure encore, on était blottis sur ton sofa...

Il lui prit la main, la tira vers le bas et y fourra son érection.

– Ça, c'est du sexe.

Puis il la remonta jusqu'à son cœur.

– Mais ça... le nœud que tu ne vois pas, dans ma poitrine... c'est quelque chose que je n'avais jamais ressenti. Tu as quelque chose que n'a personne d'autre. Et ça, ce n'est pas un défaut, mon cœur, mais un avantage.

Les lèvres de Stacey frémirent de manière alarmante et Connor sentit son ventre se nouer un peu plus.

– Avec toi, je n'ai même pas pensé à astiquer ma lame, s'empressa-t-il d'ajouter.

La jeune femme se couvrit la bouche.

– Enfin, celle en métal, je veux dire, reprit-il maladroitement, sachant qu'il était en train de tout foutre en l'air, mais ignorant comment rectifier le tir. Parce que tu mouilles, et pour astiquer... mais je parlais de ma vraie lame, mon épée...

L'adorable visage de Stacey se chiffonna et Connor la supplia :

– Non, ne pleure pas, s'il te plaît !

Il entoura la jeune femme de ses bras et lui tapota maladroitement le dos.

– Fait chier. Je suis nul à ça. Je ne voulais pas te faire de peine. C'était un compliment. C'est mon problème si je suis fou de toi, pas le tien. Je...

La jeune femme pressa ses lèvres contre le mamelon du géant avec ardeur, puis le caressa lentement d'une langue brûlante. Connor se raidit, les yeux écarquillés.

Elle riait.

– C'était très beau, assura-t-elle en faisant semblant de renifler et en lui prenant les fesses à deux mains.

– Ah oui ?

– Oh oui. Je suis presque sûre que je n'avais encore jamais conquis la poitrine de personne.

Un sourire radieux illuminait le visage de Stacey.

– J'aime.

– Et le reste ?

Elle se remit à rire.

– Tu sais pertinemment à quel point j'aime le reste.

Sa voix baissa d'un ton, se faisant provocante.

– Et si tu te dépêches de sortir de la douche, je vais te le prouver.

Il réfléchit un instant, un peu perdu dans le tourbillon d'émotions qui s'agitait en lui – quelque chose qui ressemblait à de la joie, peut-être à de l'espoir – puis plaisanta pour dissimuler son égarement :

– J'espère que tu ne me veux pas que pour mon corps ?

– Bien sûr que si.

Elle mit ses mains en coupe et y recueilli les lourds testicules du géant.

– Mais une fois que tu seras parti et que j'attendrai comme une nouille à côté du téléphone, je ne penserai pas seulement à tes lames.

Stacey insista pour qu'il la précède dans la chambre, car elle aimait le voir de dos. Elle avait de la chance, c'était une belle vue. Des jambes superbes de grand sportif, longues, minces mais musclées, dominées par des fesses parfaites, fermes et denses qui jouaient à chaque pas, creusées de fossettes.

Miam...

Et, entre les jambes, un aperçu occasionnel des bourses pesantes et détectables. Si Connor n'avait pas été en érection, peut-être aurait-elle aussi distingué le bout de sa queue, mais il bandait. Pour elle.

Comment pouvait-elle avoir une chance pareille ? C'était trop beau pour être vrai. Il y avait forcément un problème, car Stacey Daniels n'attirait pas les hommes parfaits: ceux qui s'intéressaient à elle avaient tous un problème. Quelque chose de complètement tordu, qui empêchait une véritable relation. Tommy, par exemple, aurait voulu avoir dix-huit ans toute sa vie. Tom Stein, lui, projetait de vivre dans un désert d'énergie solaire et d'eau de pluie, en écolo pur jus. La jeune femme en était venue à croire que le gène qui rendait les gens canon à l'extérieur les détraquait à l'intérieur.

Un soupir lui échappa. Connor était une vraie bombe, l'homme le plus séduisant qu'elle ait jamais vu, et si parfait fût-il côté pile, il était presque mieux côté face. Quels défauts avait-il par ailleurs ? Son incapacité à parler de ses sentiments ? Elle n'aimait pas les discours fleuris. La franchise lui plaisait davantage que les belles phrases.

Arrivé au lit, il se retourna et la souleva dans ses bras puissants.

Elle aimait se sentir petite, protégée et aimée.

– C'était très excitant, gronda la voix grave à son oreille.

– Mmh ?

Ses yeux se fermèrent tout seuls tandis qu'elle jouissait du grand corps dur pressé contre le sien. Les poils qui parsemaient le torse de Connor titillaient ses mamelons pendant que l'odeur du géant, plus insistante que celle du savon, emballait son cœur.

– Te sentir me regarder.

– Tu es magnifique, souffla-t-elle, entrouvrant juste assez les paupières pour le voir.

– Jusqu'à aujourd'hui, je trouvais juste ça pratique, parce que ça me permettait de baiser.

Elle ne put retenir un léger rire, heureuse de sa franchise brutale.

– Je n'en doute pas.

Des lèvres fermes se pressèrent contre sa tempe.

– Maintenant, je suis content que ça te plaise.

– Oh que oui !

Elle lui mordilla le menton.

– Ça me plaît même beaucoup.

Il pivota brusquement pour la jeter sur le lit, où elle rebondit en couinant, mais déjà il était là, sur elle partout, l'enfermant dans une prison de virilité sensuelle. La pointe d'une langue se glissa entre les orteils de Stacey, un baiser se posa sur sa cheville, puis Connor lui leva la jambe pour titiller le creux de son genou. Le chatouillis la fit rire.

– Ça m'excite de t'entendre rire comme ça, lança-t-il d'une voix rauque, s'interrompant pour la regarder.

– Je me demande bien ce qui ne t'excite pas, riposta-t-elle en levant les yeux au plafond. Tu es un vrai animal en rut.

– Ah oui ?

Il l'empoigna par les cuisses pour lui écarter les jambes et l'exposer tout entière.

– Et qui m'a sauté dessus en exigeant mes faveurs alors que j'étais en train d'appeler un taxi ?

– C'est toi qui m'as harcelé pour obtenir les miennes !

Elle refoula un gloussement car il arquait le sourcil d'une manière irrésistible. Elle ne se serait jamais crue capable de discuter alors qu'il se tenait juste au-dessus de sa chatte, les yeux brillants comme ceux d'un loup affamé, et à vrai dire, elle n'avait jamais beaucoup ri au lit, mais ça lui plaisait.

– Avec ton « tu ne sors pas d'ici », c'est pas plutôt toi la harceleuse ?

– Tu m'as harcelée *avant* !

– Je n'ai jamais eu besoin de harceler une femme pour la conduire au lit, renifla-t-il.

– Tu n'as pas non plus beaucoup résisté quand j'ai craqué, contra-t-elle en lui tirant la langue.

À ce spectacle, les yeux bleus s'assombrirent, étincelèrent.

– Résister ? Je suis un homme, mon cœur. Quand une petite chatte se jette à ma figure, je ne peux pas dire non.

Choquée par le sous-entendu, la bouche de Stacey s'ouvrit en grand avant de moduler un rire étouffé.

– Je ne t'ai pas jeté ma chatte à la figure !

– Hum... si tu le dis.

Connor lui adressa un clin d'œil qui, ajouté à son sourire au charme enfantin, ne pouvait que tourner la tête d'une femme.

– Tu parles. Une vraie nymphomane. Bon sang, pas moyen d'être tranquille ici. On a baisé hier soir. On a baisé aujourd'hui. On baise là, maintenant...

Un soupir théâtral échappa au géant.

– Oh, loin de moi l'idée de t'épuiser à mort, lui répondit la jeune femme en croisant les bras. On peut aller manger de la tarte si tu veux.

Connor fit la moue.

– Hum... j'ai envie d'autre chose.

Vu sa position, elle imaginait bien quoi.

– Non. Pas possible. Étonnamment, la nymphomane n'est plus d'humeur.

Rien n'aurait pu être plus faux. Elle se sentait gonflée et mouillée. Il baissa d'ailleurs les yeux d'un air sceptique... et sourit.

– Je peux te remettre d'humeur, chuchota-t-il.

– Oh, je t'en prie.

Stacey feignit un bâillement exagéré... aussitôt suivi d'un gloussement, car Connor grondait tout bas.

– Tu vas me le payer, menaça-t-il en la chatouillant.

– Non, arrête !

Lorsqu'elle chercha à lui échapper, elle ne réussit qu'à rouler sur le ventre, ce qui donna à l'adversaire un avantage certain.

Il se jeta aussitôt sur elle en riant. En *riant* ! Les lèvres tout près de son oreille, pour lui dire :

– Tu sais quoi ? Tu vas me supplier de te prendre.

– J'aimerais bien voir ça ! riposta-t-elle, malgré ses frissons d'anticipation.

Oh oui, elle aimerait !

– Oh, mais tu vas voir, mon cœur.

Il lui dessina l'oreille du bout de la langue puis l'emplit de son souffle ardent, tandis qu'une moiteur brûlante envahissait la chatte de la jeune femme. Comme s'il en avait conscience, il lui glissa sa grande main entre les cuisses pour la caresser.

– Mmh... Il me semble avoir trouvé quelqu'un d'humeur, là...

– Pas moi, haleta-t-elle au moment où il gratifiait son clitoris d'une caresse légère.

Connor poussa un petit grognement sceptique pendant qu'elle enfouissait son sourire dans son oreiller. Le matelas bougea, se creusa puis, soudain, une langue brûlante descendit la colonne vertébrale de Stacey, qui sursauta et se débattit, car la sensation était aussi agaçante que sensuelle. Son compagnon l'immobilisa aussitôt en l'attrapant par les hanches pour lécher les fossettes qui lui creusaient les reins.

– Arrête de gigoter.

– J'essaie de t'écarter pour aller me chercher une part de tarte.

Il marmonna quelque chose, lui mordit la fesse puis la fit rouler sur le dos, avant de la pénétrer d'une poussée.

Elle se cambra en gémissant. Seigneur, c'était tellement bon ! Il était si énorme qu'elle avait l'impression de se dilater au maximum, une sensation incroyable. Connor lui posa les mains des deux côtés de la tête et la regarda ainsi, de haut. Une posture qui le rendait impressionnant, bien que l'amusement chaleureux qui pétillait dans ses yeux contredît cette image de dureté.

– Tu es siiiii serrée... déclara-t-il en ondulant des hanches. Je pourrais faire ça toute la journée.

Une petite exclamation échappa à Stacey quand il se raidit en elle.

– Il se pourrait que je me laisse convaincre.

Il se retira lentement, avant de la pénétrer une seconde fois d'une longue glissade affolante.

– Je croyais que tu voulais une part de tarte.

– Mmmh... J'ai changé d'avis.

Il fit un nouvel aller-retour. Il s'y prenait si bien que Stacey ferma les yeux et poussa un râle. Il recula, s'agenouilla, posa les jambes de la jeune femme sur ses cuisses musclées puis se mit à se balancer d'avant en arrière. Son gland épais caressait l'intérieur de sa compagne, juste à l'endroit d'un écheveau de nerfs ultrasensibles. Les tétons de Stacey pointèrent et se durcirent. Il donna un coup de reins plus brusque qui lui arracha un petit cri, car il venait de trouver le fond de son vagin. Ses orteils se crispèrent sous l'effet du plaisir et de la douleur mêlés.

– Tu vas tellement profond, balbutia-t-elle en s'empoignant les seins, gonflés à lui faire mal.

– Je veux aller encore plus profond.

Les abdominaux contractés, Connor l'attrapa par les hanches pour plonger en elle jusqu'à la garde. La base plus épaisse de sa queue tira vers le bas le clitoris de Stacey, ce qui augmenta la friction.

– Connor !

Elle secouait la tête, proche du délire, incapable de supporter plus longtemps la lenteur et la longueur de ses poussées. C'était incroyablement, impossiblement bon. Quelques coups de reins de plus, et elle allait connaître l'orgasme de sa vie.

– Oui... oooh, oui...

Il se retira et descendit du lit.

Sidérée, elle se redressa sur ses coudes et lui cria :

– Mais... tu vas où ?

Connor lui jeta par-dessus son épaule un coup d'œil innocent.

– Te chercher une part de tarte. Tu as dit que tu en voulais.

– Tu... tu... Quoi ?... *Maintenant* ?

– Après tout, si tu n'es pas d'humeur, je ne devrais pas te forcer.

– Reviens tout de suite !

Souriant, il s'immobilisa sur le seuil, insolemment appuyé au chambranle. Cul nu, précédé par une érection énorme. Une image étourdissante.

– Nymphomane, s'amusa-t-il.

– Allez ! lança-t-elle, impatiente.

Avant d'ajouter, sa voix se faisant enjôleuse :

– S'il te plaît...

– Tu me supplies ?

Elle plissa les yeux.

– Viens-Ici-Tout-de-Suite.

Il croisa les bras et l'examina avec attention.

– Qu'est-ce que tu feras, quand je ne serai pas là et que tu voudras coucher ?

– Je me caresserai, répondit-elle sans hésiter, mais c'est nettement moins marrant que quand tu me caresses, toi, et tu es là.

– Vas-y, la pressa-t-il, ses yeux brûlants rivés aux jambes de Stacey, écartées sans la moindre pudeur. Je veux voir.

Elle hésita, le regardant la regarder. Les lèvres de Connor s'entrouvraient, son souffle s'accélérait : l'idée de la voir se masturber l'excitait.

– Tu te toucheras aussi en pensant à ça, quand tu seras en voyage ? demanda-t-elle, pendant que ses doigts écartés glissaient dans les boucles humides de sa chatte.

Il se lécha les lèvres, puis empoigna son érection.

– Je peux le faire maintenant.

Stacey posa le bout de ses doigts sur son clitoris engorgé, puis se mit à le caresser en cercles languissants, frissonnante, à la fois parce que son compagnon n'était plus là pour la réchauffer et parce que l'excitation montait en elle. Elle n'atteindrait pas l'orgasme en allant aussi lentement, mais ce n'était pas le but du jeu. Le but, c'était de rendre Connor fou de désir pour qu'il revienne terminer ce qu'il avait commencé. Lorsqu'elle gémit, il tressaillit de tout son corps.

– Putain ! gronda-t-il en se raidissant.

– Ah !

Elle se cambra, les seins dressés vers le ciel, puis accéléra le mouvement après être allée chercher l'humidité lubrificatrice de son vagin.

Et il fut là, plongeant les doigts en elle, vite et fort. Elle se tordit sous son regard, haletante, tandis qu'il restait posté près du lit, le feu aux joues, les dents serrées, les pupilles dilatées au point d'engloutir les iris, tout entier concentré sur ce qui se passait entre les jambes de Stacey, où il œuvrait habilement pendant qu'elle s'activait frénétiquement. Le pénis de

Connor était dur comme un roc, son gland rouge et luisant et son minuscule méat emperlé d'une goutte de sperme.

— Laisse-moi te sucer, implora Stacey, folle d'excitation à cette idée.

Avec un grondement rauque et inarticulé, Connor remonta sur le lit puis s'allongea, le sexe près de la bouche de Stacey, le torse au niveau de son sexe humide. Ils se couchèrent sur le côté, l'un en face de l'autre, disposés à la perfection pour ce qu'ils avaient en tête malgré leur énorme différence de taille.

Elle empoigna à deux mains la queue magnifique, qu'elle inclina en direction de sa bouche avide. Lorsque sa langue toucha le gland brûlant, Connor lâcha un violent juron, mais ses doigts n'en perdirent pas le rythme pour autant. Il y ajouta même un pouce calleux, afin de manipuler le clitoris de Stacey avec l'énergie exacte requise pour la faire jouir.

Elle poussa un cri étouffé, la bouche pleine, pendant que sa langue s'agitait à toute allure à l'endroit sensible, juste sous le gland du géant, qui rugit son nom en jouissant à son tour, violemment, les hanches agitées de spasmes par la frénésie orgasmique. Stacey avala la moindre goutte de son sperme goulûment, avec délice.

— Arrête, mon cœur, murmura-t-il enfin d'une voix rauque. Tu me tues.

Elle ne le libéra pourtant que quand il lui repoussa la tête d'une main faible. Il se déplaça pour se serrer contre elle, l'envelopper de ses bras, jeter une jambe sur les deux siennes.

La joue posée contre le cœur affolé de son amant, elle s'endormit aussitôt, certaine d'être aimée.

chapitre 11

Connor mit un moment à comprendre ce qui l'avait tiré du sommeil. Parfaitement réveillé, il s'écartait en douceur du corps chaud de Stacey, quand il prit conscience des pas qui approchaient de la porte d'entrée. Comme la fenêtre la plus proche de la tête de lit en fer forgé donnait sur la véranda, il écarta le rideau noir pour jeter un coup d'œil entre les lattes des volets.

Aidan et Lyssa montaient le petit escalier.

Connor jura tout bas, se retourna et ramassa son pantalon.

– Qui c'est ? demanda Stacey d'une voix enrouée par le sommeil.

– Papa et maman, marmonna-t-il.

– Hein ? Oh... d'accord.

Elle s'assit, échevelée et manifestement comblée – les lèvres gonflées par les baisers, les joues roses, la peau satinée.

– Tu crois que si on leur dit de se mêler de leurs affaires, ça va marcher ?

– Il y a intérêt.

Après avoir remonté la fermeture de son jean, il lui tendit la main pour l'aider à se lever puis la parcourut de la tête aux pieds d'un regard rapide, mais admiratif. Deux beaux seins opulents oscillaient juste sous son nez... Il en caressa un en embrassant leur propriétaire avec fougue.

– Habille-toi, je vais leur ouvrir.

Lorsqu'il pivota, Stacey lui claqua la fesse.

– Bien, mon capitaine.

Connor lui jeta par-dessus son épaule un coup d'œil faussement menaçant, puis s'empressa de gagner la porte d'entrée.

– Crétin, soupira Aidan, les sourcils froncés, en enregistrant aussitôt son torse et ses pieds nus.

– Connard, riposta Connor.

– Je décline toute responsabilité, reprit Aidan à l'adresse de Lyssa. S'il merde, je n'y suis pour rien.

– Du calme, mon amour, répondit-elle en lui tapotant le bras.

Connor sourit à la jeune femme.

– Salut.

Le sourire qu'elle lui rendit était aussi adorable qu'elle.

– Salut. Ça sent la tarte aux pommes, non ?

Il recula en riant et ouvrit la porte en grand. L'après-midi s'achevait : le bleu du ciel avait pour l'essentiel viré à l'orange et la chaleur de la journée était en train de se dissiper.

– Stacey ne va sans doute pas tarder à la couper. Elle n'a parlé que de ça toute la journée.

– Tu vis ici, maintenant ? demanda Aidan d'un ton sec.

– Oh là, mec, je crois que tu as besoin d'une bonne partie de jambes en l'air ou de vitamines... ou d'un truc de ce genre.

– Pas d'une partie de jambes en l'air, en tout cas, intervint Lyssa, souriante.

– Mais si, protesta Aidan, et si j'en suis privé par ta faute, Bruce, je vais te botter le cul, quelque chose de bien.

– Ouah.

Connor ouvrit de grands yeux.

– Tu dois être vraiment fantastique, Lyssa pour qu'il ait si peur de te contrarier.

Elle haussa effrontément les épaules.

– Va savoir...

– Salut, Doc.

Stacey entra dans le salon.

– Vous voulez une part de tarte aux pommes ?

– Vous voyez, plaça Connor

– Je peux te parler ? lui demanda Aidan d'un ton toujours aussi sec, en lui montrant la porte d'entrée.

– Je ne sais pas, répondit Connor en posant ses mains sur ses hanches. T'es sûr que tu veux me parler, t'as plutôt l'air prêt à me faire chier.

Aidan resta un instant figé, tendu, puis l'ombre d'un sourire lui incurva les lèvres.

– S'il te plaît.

– Bon, d'accord.

– Je t'en coupe une part ? lança Stacey dans le dos du géant.

– Et comment, lui répondit Connor en lui faisant un clin d'œil. Je ne raterais pour rien au monde la tarte prétendument meilleure-que-le-sexe.

– Je n'ai jamais dit ça, protesta la jeune femme en rougissant.

– Tu ne l'as pas encore goûtée, plaisanta Aidan. La tarte de Stacey est bonne, mais pas à ce point.

– Fais gaffe, rétorqua le géant

Le rire d'Aidan accompagna Connor jusque sous la véranda, où il alla s'accouder à la balustrade.

– Avant que tu ne commences, que ce soit clair, ma vie sexuelle ne te regarde pas.

– On verra ça plus tard. Pour l'instant, il faut que je te parle de ce qui s'est passé quand je me suis réveillé, tout à l'heure.

L'excitation que trahissait la voix de son interlocuteur rendit Connor attentif.

– Ouais ?

– J'ai trouvé une lettre que je me suis écrite.

Connor cligna des yeux.

– OK, articula-t-il en appuyant sur la dernière syllabe.

– Pendant que je dormais.

– Wager, affirma Connor, admiratif.

Le lieutenant était à la fois volontaire et débrouillard, deux qualités que n'importe quel officier aimait trouver chez ses hommes.

– Oui. Je l'ai toujours eu à la bonne. Un gamin futé.

Wager avait quelques siècles de trop pour qu'on le qualifie de « gamin », mais Connor avait saisi l'idée.

Aidan passa la main dans ses cheveux noirs. Il les avait toujours portés très courts dans le Crépuscule, mais depuis qu'il vivait sur la Terre, il les avait laissés pousser. Le géant ne les avait jamais vus aussi longs. Les traits de son ami s'en trouvaient adoucis, ce qui allait bien avec le bonheur qui l'illuminait chaque fois qu'il regardait Lyssa. Il était métamorphosé : un homme désespéré qui avait retrouvé l'espoir.

– Qu'est-ce que ça racontait ? demanda Connor.

– Il a trouvé les traces d'un virus dans les fichiers que vous avez téléchargés au Temple.

Aidan alla s'asseoir sur la balancelle. Connor se tourna vers lui, la hanche appuyée à la balustrade.

– Un *virus* ?

– Oui, ou du moins un programme particulier, un cheval de Troie qui surveille tout ce que font les Anciens.

– De l'espionnage ?

– Exactement, acquiesça Aidan avec un sourire sinistre.

– Donc, quelqu'un d'autre sait tout ce qu'on sait ?

– On dirait.

Serrant l'épaisse rambarde de bois dans son dos, Connor balaya du regard la cour du voisin. Une brusque expiration lui échappa.

– Depuis combien de temps ce truc est-il en place ?

– La lettre n'en parle pas. Wager essaie de remonter à la source, mais il nous conseille de ne pas trop compter là-dessus. Ça va prendre du temps, en admettant qu'il y arrive.

– Bon... ça veut dire qu'on n'est pas les seuls à ne pas faire confiance aux Anciens. C'est peut-être bon signe.

– Ou peut-être pas.

– Ouais.

– La lettre dit aussi que les rêves où tu vois Sheron pourraient être réels. Wager a trouvé un programme nommé « Rêve/Incursion », qui permettrait de transmettre au dormeur des informations dont il se souviendrait au réveil. Il travaille également là-dessus.

– Le pauvre, murmura Connor. Je me demande comment il s'est retrouvé dans l'Élite. Il doit trouver les autres sacrément pénibles, à parader comme des coqs dans la basse-cour...

– Il est trop emporté pour un travail de bureau, répondit Aidan en riant. Un jour, je lui ai posé la question. Il m'a dit que l'Élite était son premier amour. Que pour le reste, c'étaient juste des loisirs.

– Tu parles de loisirs.

Le grondement bas d'un moteur leur fit lever les yeux vers la route. Une berline noire aux vitres teintées roulait au pas, juste derrière la clôture délimitant la propriété de Stacey. Elle s'engagea dans l'allée gravillonnée.

La porte moustiquaire s'ouvrit et les deux jeunes femmes sortirent à reculons, une assiette à dessert dans chaque main. Les garçons leur jetèrent à peine un coup d'œil.

– Qui est-ce ? demanda Stacey en s'apercevant combien les deux guerriers semblaient s'intéresser à la voiture qui approchait.

Aidan se leva, les sourcils froncés.

– Tu ne sais pas qui c'est ?

Elle secoua la tête.

– Retourne à l'intérieur, ordonna Connor en s'interposant entre elle et les arrivants.

Stacey se demanda un instant s'il servirait à quelque chose de signaler au géant qu'elle n'était pas du genre à se laisser donner des ordres, mais finit par le contourner pour poser ses deux assiettes sur la balustrade.

– Je suis ici chez moi, lui signala-t-elle. Je ne sais pas qui c'est, mais soit ces gens veulent me voir, soit ils se sont perdus. Je dirais plutôt qu'ils se sont perdus, vu que...

– Je m'en charge, Cross, coupa Connor. Occupe-toi de Lyssa.

Aidan bondit en effet sur ses pieds et poussa Lyssa sans ménagement dans la maison.

Connor attrapa Stacey par le bras et la refit passer derrière lui, pendant que la voiture s'arrêtait et que la portière arrière s'ouvrait, côté conducteur. La jeune femme lui donna une tape sur la main, à la fois attendrie et agacée par sa conduite exagérément protectrice. Trop, c'était trop, et...

Les yeux de Stacey s'écarquillèrent quand une inconnue assez belle pour réduire Angelina Jolie au chômage sortit du véhicule et étira son long corps. L'inconnue avait les cheveux noirs et les yeux verts, comme Stacey, mais, contrairement à elle, c'était une grande liane mince aux muscles bien dessinés de sportive. Belle à tomber, en plus, avec des traits d'une symétrie parfaite et une peau impeccablement bronzée. Sa tunique grise sans manches et son ample pantalon ressemblaient fort aux vêtements que portait Connor en arrivant chez Lyssa.

– Je ne vois vraiment pas qui ça peut être, marmonna Stacey.

– Capitaine Bruce, lança la femme avec un grand sourire qui fit froid dans le dos à Stacey.

Elle avait le même accent qu'Aidan et Connor, ce qui ne fit qu'accentuer le malaise de la jeune femme.

– Tu la connais ? insista Stacey, le cœur serré.

Elle ne pouvait pas gagner contre une femme pareille, elle était hors catégorie.

– Rachel, répondit Connor.

Le ton sombre du Viking ne fit rien pour apaiser les inquiétudes de Stacey, ce qui la surprit un peu. Certes, elle était contente qu'il ne saute pas de joie en voyant cette Rachel, mais d'un autre côté, les mélodrames n'étaient pas non plus franchement sa tasse de thé.

– Comme c'est mignon de te voir protéger ta petite amante humaine, commenta l'arrivante d'une voix traînante, le bras élégamment posé sur la portière ouverte. Je l'ai toujours dit, le besoin de sexe est le point faible des mâles de l'Élite.

– Mais qu'est-ce qu'elle raconte ? marmonna Stacey. Et qui c'est, bon sang ?

Ses yeux s'écarquillèrent soudain.

– Oh non ! Me dis pas que t'es marié ?

– Quoi ? aboya Connor en la foudroyant du regard. Avec *elle* ? Ça ne va pas, la tête ?

– Avec quelqu'un d'autre, alors ?

– Mais non !

Rachel s'éclaircit la gorge.

– Excusez-moi, mais pourriez-vous disputer après qu'on ait réglé ce qui m'amène ? Un long chemin m'attend, et j'aimerais « tracer la route », comme on dit

Aidan réapparut, tendit quelque chose à Connor puis se tourna vers Stacey.

– Il vaudrait mieux que tu rentres, Stace.

Elle jeta un coup d'œil à ce qu'il venait de remettre à son camarade et comprit soudain.

– Oh, je vois ! articula-t-elle avec un sourire penaud, c'est une histoire d'armes.

– Mon cœur, grinça Connor entre ses dents serrées, rentre dans cette putain de maison. Tout de suite.

— Ils sont autoritaires, hein ? lança Rachel en riant. Tu n'as qu'à venir avec moi, mon cœur. Mes... *amis*... seront ravis de faire ta connaissance.

— Il va falloir me tuer pour arriver à elle, Rachel, prévint Connor.

Elle éclata de rire en rejetant ses longs cheveux dans son dos.

— Je sais ! C'est merveilleux ! Je mourais d'impatience qu'on trouve enfin la Clé, mais vous avoir en prime, Cross et toi, ça valait le coup d'attendre.

Stacey, perplexe, laissa son regard dériver jusqu'au conducteur, qui semblait sortir tout droit de *Men in Black*. Costume noir, lunettes plus noires encore, et un petit quelque chose qui faisait paraître Rachel et ses airs de Cruella d'Enfer presque sympathiques, même s'il ne bougeait pas un cil et restait totalement inexpressif.

— Mais je ne suis pas venue vous réclamer la Clé aujourd'hui, ça reviendrait à mettre la charrue avant les bœufs, continua l'intruse en agitant négligemment la main. Donc vous pouvez vous amuser encore un peu avec vos petites humaines.

— Pourquoi est-ce qu'elle n'arrête pas de répéter « humaines » comme ça, sur ce ton ? chuchota Stacey, exaspérée.

Cette Rachel lui inspirait une antipathie intense. Elle était si hautaine, si méprisante. Et puis Connor et Aidan s'en méfiaient, ce qui ne parlait pas en sa faveur.

— Qu'est-ce que tu veux ? demanda Connor en allant se poster au sommet des marches, comme pour défier quiconque de le dépasser et de pénétrer dans la maison.

Compte tenu du sabre imposant qu'il tenait à la main, il était en effet très intimidant, du moins aux yeux de Stacey.

– Vous avez quelque chose qui m'appartient, Bruce. Rendez-le moi.

– Va te faire foutre, répondit-il en descendant la première marche.

Le sourire de Rachel s'élargit.

– Vous vous doutez bien que je ne suis pas venue les mains vides. Que diriez-vous d'un petit échange ?

– Commence par nous montrer ce que tu as, gronda Connor.

Sans se retourner, il siffla à Aidan :

– Fais-la rentrer, bordel !

Aidan referma sur le bras de Stacey une poigne de fer et la tira vers la porte.

– C'est bon, capitula-t-elle en se laissant entraîner, mais je vais regarder par la fenêtre.

– Je veux la trinité, annonça Rachel.

Connor haussa les épaules.

– Aucune idée de ce que c'est. Pas de bol.

– Arrête de la provoquer ! lui lança Stacey, depuis le seuil. Tu vois bien qu'elle est cinglée.

– Ceci va peut-être vous faire retrouver la mémoire, dit la Gardienne avant de se pencher vers la banquette arrière. Sors.

La portière opposée s'ouvrit et un passager descendit de voiture. Un type en pull à col roulé et pantalon de ski.

– Seigneur, souffla Stacey.

Sa main retomba de la poignée de porte.

– C'est Tommy ! Mais qu'est-ce qu'il fiche avec elle, bon sang ?

La tension qui s'empara du grand corps de Connor était quasi palpable.

– Cross... c'est l'ex de Stacey.

Tommy restait planté à côté de la berline, visiblement perdu dans une sorte de transe, sans rien voir ni comprendre.

Une seconde plus tard, le conducteur s'anima, tendit la main vers le siège passager et tira jusqu'à lui quelqu'un de ligoté et de bâillonné.

Stacey se plia en deux, hurlante, à la vue des yeux terrifiés de Justin, immenses dans son visage barbouillé de larmes.

Le sourire de Rachel était effrayant.

– Maintenant, vous savez ce que j'ai, et que vous ne pourrez récupérer qu'après m'avoir rendu la trinité.

Poussée par l'instinct, Stacey se précipita vers l'escalier pour rejoindre son fils, mais Connor tendit le bras à la vitesse de l'éclair, la rejetant en arrière. Un cri de rage et de frustration lui échappa quand elle trébucha, malgré ses efforts, puis Aidan la ceintura afin de contenir ses soubresauts dans une étreinte d'acier. Le souffle coupé, elle se cabra en donnant des coups de pied désordonnés, mais il était trop grand et trop fort pour qu'elle lui échappe.

Rachel tira de sa poche un téléphone portable qu'elle lança à Connor. Il le rattrapa d'une main et le serra contre son torse.

– J'appellerai pour vous donner mes instructions.

– S'il arrive quoi que ce soit au gamin, prévint le géant d'une voix basse et dangereusement calme, je te torturerai avant de te tuer.

— Oooh ! ronronna la Gardienne en remuant les épaules, aguicheuse. Ça m'a l'air tentant.

Puis son beau visage se durcit et elle reprit :

— Je veux la trinité, capitaine. Ou je la récupère, ou le gosse y passe.

— *Nooonnn !*

Un cri inhumain jaillit de la gorge de Stacey, hurlement animal de douleur et de frustration d'une mère qui a peur pour son petit et ne peut rien faire pour le protéger. Elle se débattit de plus belle dans les bras puissants d'Aidan, toutes griffes dehors.

— *Justin !*

Les yeux écarquillés d'horreur, elle vit son fils se débattre, lui aussi. Dans ses mouvements brusques, l'adolescent heurta et fit tomber les lunettes de soleil du conducteur, dont le visage apparut tout entier. Le cœur de Stacey s'arrêta de battre. Le kidnappeur frappa Justin assez fort pour l'assommer puis la fixa de ses yeux entièrement noirs. Son grand sourire exhibait des dents meurtrières dans une bouche immense : la souffrance et la répulsion de la jeune femme l'enchantaient visiblement.

Elle criait à pleins poumons. Aidan finit par poser une main sur sa bouche et se mit à lui murmurer des mots à l'oreille, de sa voix profonde.

Pourquoi restaient-ils là sans rien faire ? Pourquoi laissaient-ils cette pétasse remonter dans sa voiture et refermer sa portière ? Pourquoi Tommy se contentait-il de cligner vaguement des yeux, indifférent, alors que la berline quittait l'allée en marche arrière, emportant leur enfant ? Pourquoi Aidan la retenait-il, la bâillonnait-il, fredonnait-il à son oreille, comme s'il allait suffire de quelques promesses de sécurité et de vengeance pour la calmer ?

La chose au volant repartait avec son bébé et elle ne pouvait rien faire d'autre que de les regarder s'en aller, emprisonnée dans les bras d'un homme en qui elle avait eu confiance.

Aidan ne la lâcha qu'une fois la voiture hors de vue. Les jambes tremblantes, elle trébucha puis tomba à genoux, avant de se remettre sur pied. Repoussant Connor, qui cherchait à la prendre dans ses bras, elle se rua sur Tommy pour le frapper, le secouer, lui hurler dessus.

– Espèce de sale drogué !

Elle lui assena une gifle retentissante.

– Putain d'enfoiré !

Puis elle l'abandonna brusquement et se mit à courir, courir pour sauver son fils, quittant la cour, poursuivant les ravisseurs dans la rue, où leur berline avait pourtant déjà disparu. Pas question de s'arrêter, ce n'était tout simplement pas possible. Elle courut jusqu'à ce que ses jambes refusent de la porter plus longtemps puis s'effondra, en larmes, gémissante, sanglotante.

– Stacey.

Connor s'agenouilla près d'elle, les yeux rouges et humides, pleins de compassion.

– Non ! hurla-t-elle. Je t'... t'interdis de pleurer. Tu les as laiss... laissés faire...

Elle frappa son torse nu, à mains ouvertes d'abord, puis des deux poings.

– Comment as-tu p... pu les laisser faire ? Comment ?

– Je suis désolé, murmura-t-il, sans chercher à se défendre. Je suis vraiment désolé, Stacey. Je ne pouvais rien faire. Si j'avais pu le récupérer vivant, je te jure que je l'aurais fait. Tu dois me croire.

– Tu n'as pas essayé ! sanglota-t-elle. Tu n'as même pas essayé.

Elle s'effondra contre lui, un regard brumeux fixé sur la route. Il avait les pieds en sang, parce qu'il l'avait suivie sans prendre le temps de mettre ses chaussures. Le cœur de Stacey se serra à cette vue, ce qui ne fit qu'accroître sa fureur.

Quand il la souleva pour la porter à la maison, elle n'eut pas la force de résister, mais ne puisa dans cette étreinte aucun réconfort.

Son bébé lui avait été enlevé.

chapitre 12

Au retour de Connor et Stacey, Lyssa pleurait, roulée en boule sur le canapé devant lequel Aidan faisait les cent pas. Il avait attaché Tommy sur une chaise avec du gros scotch, car tant que son esprit restait relié au Crépuscule, on ne pouvait pas lui faire confiance. Les Anciens avaient déjà essayé de tuer Lyssa par l'intermédiaire d'un somnambule, et depuis, le guerrier se montrait prudent.

Connor se sentait totalement impuissant, ce qui suffisait à ruiner son équilibre mental. Rongé par la souffrance de sa compagne, fou de rage, il brûlait du désir de la venger.

– Oh, mon Dieu, Stace !

Lyssa bondit sur pied quand la porte moustiquaire se referma sans un bruit derrière les arrivants, se précipita vers eux et prit sa meilleure amie dans ses bras dès que Connor la reposa à terre.

– Je suis d... désolée ! C'est de ma faute.

Stacey secoua la tête.

– Vous n'y pouviez rien.

Son regard venimeux passa d'Aidan à Tommy avant de s'arrêter sur Connor, qui tressaillit.

— Dommage qu'on n'ait pas eu quelques hommes forts avec nous, ajouta-t-elle avec mépris en se dirigeant vers le téléphone.

— Stace, appela Lyssa d'une voix basse, implorante. Tu ne peux pas demander de l'aide.

— Et pourquoi ça, hein ?

Stacey tendit vers l'appareil une main tremblante.

— Parce que les flics vont trouver bizarre que deux grands costauds, des anciens des forces spéciales, qui plus est, n'aient pas levé leur putain de petit doigt pour empêcher un enlèvement ?

Connor releva la tête. Elle avait parfaitement le droit d'enrager, compte tenu de ce qu'elle savait, mais son ironie n'en était pas moins blessante. Non qu'il ait la fierté ni l'ego chatouilleux – ils avaient été écornés plus d'une fois durant sa longue existence –, mais son cœur saignait, alors que nul jusqu'ici ne l'avait assez éveillé pour le faire réellement souffrir.

Maintenant, la douleur était abominable.

— Tu ne la connais pas, Stacey, dit Connor avec douceur. Nous, si. On ne pouvait pas intervenir sans mettre Justin en danger.

— C'est des conneries !

Les yeux écarquillés de la jeune femme ne présentaient plus qu'un liseré de vert autour de ses pupilles dilatées. Sa peau et ses lèvres étaient livides et ses mains tremblaient.

— Chacun de vous aurait pu – et tout seul ! – massacrer cette salope et son espèce de taré masqué !

— Es-tu sûre qu'ils n'étaient que deux ?

La question figea la jeune femme.

— À cause des vitres teintées, on ne voyait pas la banquette arrière.

– Il y avait au moins une autre personne, intervint Aidan. Quelqu'un qui a fermé la portière par laquelle Tommy est sorti.

Un froncement de sourcils plissa le front de Stacey.

– Justin a de la valeur pour elle à cause de *toi*, insista Connor, décidé à lui faire comprendre la situation. Elle était prête à se battre, à le tuer et à t'enlever, toi, à la place. Ça aurait placé la barre encore plus haut, et je peux t'assurer que Rachel aime la placer très, très haut. C'est pour ça qu'elle restait près de la porte ouverte. Je suis sûre qu'elle avait son glaive à portée, n'attendant qu'un mouvement du moindre d'entre nous.

– Je croyais que vous vous occupiez d'antiquités, cracha la jeune femme. Quelle putain de vieillerie peut avoir suffisamment de valeur pour qu'on en vienne à kidnapper des enfants ?

– Eh, dit Lyssa d'une voix douce en se rapprochant d'elle pour la prendre par ses épaules tremblantes. Viens avec moi à la cuisine, je vais tout te raconter.

– J'ai besoin d'appeler les flics.

– Laisse-moi d'abord t'expliquer. Après, si tu y tiens toujours, je t'emmènerai moi-même au commissariat.

– Qu'est-ce qui va pas chez vous, hein ? hurla Stacey d'une voix rauque. Mon fils a été *enlevé*, et vous voulez que je reste bien sagement à ne rien faire ?

– Non, murmura Connor, le ventre douloureusement noué. On voudrait que tu nous fasses confiance, parce qu'on est tes amis. Et qu'on t... t'ai...

Le mot s'étrangla dans la gorge du géant, car la souffrance lui soufflait de ne pas s'exposer davantage au mépris de Stacey. Il lui avait fait défaut. Il n'aurait pas pu intervenir sans mettre la vie de Justin en danger, mais il aurait dû lui éviter, à elle, de souffrir.

Aimer.

C'était ça le mot ? Il pensait à elle, aimait sa compagnie et détestait la voir aussi bouleversée. Il voulait ses rires et ses sourires, ses mains légères et ses cris de plaisir haletants. Il rêvait d'apprendre à la connaître et de se livrer à elle en retour. C'était ça, l'amour ?

Ou peut-être en était-ce juste la graine, le germe naissant, un bourgeon qui allait se flétrir et mourir si Connor n'arrivait pas à le soigner et à lui donner une chance de croître.

– Je suis ta meilleure amie, Stace.

La fermeté qui s'était glissée dans la voix douce de Lyssa interrompit net les pensées du Viking.

– Je t'aime. J'aime Justin. Et je veux le récupérer autant que toi.

Le cœur de Connor se serra quand Stacey craqua et fondit en larmes, lourdement appuyée contre Lyssa, boucles noires mêlées aux mèches blondes. Ces sanglots désespérés le déchiraient. Stacey était sa femme, la seule qu'il aurait jamais. Il devait la protéger, veiller à sa sécurité, mais il l'avait exposée au danger qui venait de la blesser cruellement.

– Bruce !

Il se tourna à regret vers Aidan, pendant que les deux femmes quittaient le salon.

– Quoi ?

– Concentre-toi, il faut récupérer Justin.

– Je suis concentré, rétorqua-t-il.

Ce qui était un parfait mensonge : le géant avait l'impression de se diluer, de s'effilocher, de se disperser, le cœur à un endroit, le cerveau à un autre, les muscles noués par le besoin de se mettre en chasse.

– On n'a qu'à utiliser le portable pour les localiser, proposa-t-il. C'est faisable, avec le matériel de McDougal.

Aidan acquiesça, les traits tirés par la tension.

– Oui, on a l'habitude de faire ça quand un illustre inconnu nous propose un artefact qui coûte les yeux de la tête. Ça nous permet de vérifier qu'il ne s'agit pas d'un escroc avant d'engager la transaction. Mais ça ne nous dira pas ce que veut Rachel.

Connor avait passé assez de temps dans le faisceau d'Aidan pour disposer de ses souvenirs. Il avait commencé à les parcourir dès que Rachel avait formulé ses exigences, mais n'y avait encore rien trouvé qui ressemble à une quelconque trinité. À la connaissance d'Aidan, aucun des objets qu'il avait récupérés n'était celui que Rachel cherchait.

Connor se passa les deux mains dans les cheveux, torturé par les sanglots étouffés qui lui parvenaient de la cuisine.

– Soit elle est complètement folle, soit elle veut parler du truc plein de terre que tu as rapporté du Mexique, conclut le géant

– Eh merde.

– Tu vois que je suis concentré.

Stacey poussa soudain un hurlement, aussitôt suivi d'un bruit de verre brisé. Connor tressaillit. Si Lyssa parlait du Crépuscule, les choses allaient sérieusement se gâter.

– Le sac est dans la voiture, marmonna Aidan en se précipitant dehors.

Les yeux fixés sur le portable qu'il tenait à la main, Connor dressa dans sa tête la liste de tout ce dont ils auraient besoin. Un moyen de transport, des vêtements, une glacière contenant à boire et à manger...

– Qu'est-ce que vous avez fait à ma meilleure amie, bande de connards ? lança tout à coup Stacey d'un ton rageur en s'engouffrant dans le salon.

Il se redressa de toute sa taille pour l'affronter.

– On lui a sauvé la vie.

– Conneries.

Les yeux verts de la jeune femme étincelaient d'un feu émeraude qu'il trouva réconfortant, après leur terrible inexpressivité.

– Vous avez réussi à la convaincre que vous vous battez contre des rêves et qu'elle est une sorte de prophétesse maudite !

– C'est la Clé, rectifia-t-il, et on est des Guerriers d'élite, Stacey, on ne se bat pas contre les rêves, on les protège.

La détresse de Stacey ne se devinait plus qu'au frémissement de sa lèvre inférieure. Les épaules rejetées en arrière, la tête haute, elle était prête à lutter seule contre le monde entier.

– Je savais bien qu'il y avait quelque chose qui clochait chez toi, déclara-t-elle avec amertume. C'était trop beau pour être vrai. Qu'est-ce que tu veux ?

Il arqua le sourcil.

– Allez, grinça-t-elle. Deux beaux gosses débarquent de nulle part, ils n'ont pas de passé et mon fils se fait enlever. Coïncidence ? Je ne crois pas, non.

Connor mit un moment à comprendre de quoi elle l'accusait.

– Tu penses que c'est ma faute ?

Il n'en revenait pas.

– Tu crois que j'ai aidé les ravisseurs de Justin ? *Moi* ?

– Je ne vois que ça de logique.

– Et pourquoi cette merde devrait-elle être logique ?

Il se jeta sur elle, l'attrapa par le bras et lui plongea sa main libre dans les cheveux pour lui tirer la tête en arrière, l'obligeant à le regarder en face.

– On a fait *l'amour.* J'étais *en toi.* Comment peux-tu m'accuser de quelque chose d'aussi horrible après ce qu'on a partagé ?

– C'était juste du sexe, répondit-elle.

Mais sa poitrine se gonflait contre celle de Connor, tandis que ses yeux s'emplissaient de larmes.

Prêt à tout – absolument tout – pour regagner sa confiance, il lui lâcha le bras, lui prit la main et l'entraîna à la cuisine.

Lyssa, postée sur le seuil, s'empressa de s'écarter. Il s'approcha du comptoir en carrelage blanc, prit le couteau posé sur la planche à découper, se tourna vers Stacey et, serrant les dents, se passa la lame en diagonale sur le torse, de l'épaule à l'abdomen.

La jeune femme hurla quand le sang apparut et se mit à couler.

– Ne me quitte pas des yeux, ordonna Connor d'un ton sec en jetant le couteau dans l'évier.

D'abord il ressentit la brûlure de la douleur, mais très vite, la démangeaison de la cicatrisation la remplaça. La guérison fut rapide, car contrairement à celle d'Aidan qui avait mis des heures à se résorber, la blessure que s'était infligée le géant n'était que superficielle.

– Putain de merde, souffla Stacey, vacillante, les jambes coupées.

Il la soutint jusqu'à l'alcôve du coin repas, où elle passa la main dans le sang qui lui maculait la poitrine pour vérifier que la coupure avait totalement disparu. Ce fut alors qu'Aidan les rejoignit.

Il posa le sac marin près du coude de Stacey, l'ouvrit, en tira le livre dérobé aux Anciens et le petit paquet enveloppé de tissu.

– Il faut nettoyer ce machin. Et voir si on trouve quoi que ce soit dessus dans le bouquin.

– Occupez-vous-en, répondit Connor. Moi, je vais aller chez McDougal. Avant que Rachel n'appelle.

– Tu ne peux pas. Tu ne passeras jamais la sécurité.

– C'est ça, oui.

Un sourire sinistre étira les lèvres du Viking.

– Je ne sais pas lire la langue des Anciens – je dormais dans ces cours-là – mais je suis capable de m'introduire n'importe où et de me débarrasser de n'importe quel garde.

Aidan se préparait manifestement à protester, mais Connor ne lui en laissa pas le temps.

– Fais-moi confiance, Aidan. C'est mieux comme ça. Ça t'évitera de perdre ton travail, tu n'auras qu'à dire que tu as été victime d'un enlèvement ou un truc du genre. Personne ne pourra rien te reprocher.

– Tu parles d'un plan de merde, marmonna Aidan.

– Je ne fais que suivre l'exemple de mon capitaine.

Le guerrier grogna tout bas quelques mots, mais finit par acquiescer :

– OK, vas-y. Moi, je vais essayer de trouver pourquoi elle veut absolument récupérer cette saleté de trinité.

Stacey ouvrit le livre puis passa la main sur une page.

– Qu'est-ce que c'est ?

Connor la prit par l'épaule, car il avait besoin de la toucher, et se pencha au-dessus de la table.

– Avant la création des bases de données informatiques, on conservait notre histoire par écrit, comme sur la Terre.

– Mais tu ne peux pas lire ça ? demanda-t-elle, sans détourner le regard du volume qu'elle feuilletait.

– Non. Notre langue actuelle est basée sur celle-là, comme la tienne sur le latin, mais il n'y a que les érudits ou les curieux du genre d'Aidan qui connaissent assez sa forme originelle pour la comprendre.

– Mon Dieu, murmura-t-elle. J'ai l'impression de devenir folle.

Il releva les yeux vers Aidan, qui hocha la tête.

– On veille sur elle.

Connor aurait voulu rester pour la soutenir, il n'avait aucune envie de s'en aller, mais il occupait dans sa vie une place infime – au mieux. Elle avait besoin de réconfort, de sécurité, et ce n'était pas près de lui qu'elle viendrait les chercher. Il ne pouvait donc faire qu'une chose : s'occuper de la logistique et du sale boulot qui permettraient à la jeune femme de récupérer son fils.

– Merci. J'y vais. Je reviens avec le nécessaire.

– Quel nécessaire ? demanda Stacey en se tournant vers lui. De quoi tu parles ?

– Je vais me lancer à la recherche de Justin. Mais il me faut un minimum d'équipement.

L'espoir illumina les yeux verts.

– Je t'accompagne.

– Pas question, répondit-il d'un ton ferme. C'est dangereux. Il vaut mieux...

– Tu n'as pas à me dire ce qui est dangereux ou pas !

Elle bondit sur ses pieds.

– Là où est Justin, je vais aussi. Tu n'as pas vu qu'il était terrifié ? Tu n'as pas vu le cinglé qui le tenait, planqué derrière son putain de masque pour que je ne puisse pas l'identifier ?

– Un masque ? répéta Lyssa, les sourcils froncés.

– Ouais, Doc, un masque. Avec des yeux noirs et des dents de vampire. Horrible. Quand je pense que mon bébé...

La voix de Stacey s'étrangla, et elle se tut.

Connor ne put se retenir de l'attirer contre lui, mais elle se débattit pour lui échapper, puis contourna le comptoir, comme si cet obstacle allait suffire à l'éloigner de lui.

Il se crispa, blessé par ce rejet.

– Un masque... murmura Lyssa, livide. Oh non !

Connor vit que la jeune femme blonde avait compris ce que cela signifiait. Connor ignorait comment Rachel contrôlait les Gardiens infectés par les Cauchemars, mais peu importait : son autorité n'était sans doute pas assez forte pour assurer bien longtemps la sécurité de Justin.

Le temps pressait.

Il fourra le portable dans sa poche et tourna les talons.

– J'y vais.

Aidan se laissa tomber sur la chaise face au sac.

– Je vais faire du café, dit Lyssa.

– Et moi, je vais préparer mes affaires, marmonna Stacey en quittant la cuisine.

Connor serra les dents et sortit, conscient de la dispute qui l'attendait. Il n'allait pas risquer la vie de Stacey, elle ferait mieux de s'habituer tout de suite à cette idée.

Il partit avec la voiture de Lyssa.

chapitre 13

Le trajet était long, du portail en fer forgé massif qui défendait l'entrée de la propriété au manoir proprement dit. Plus de trois kilomètres d'une route tortueuse, qui escaladait en épingles à cheveux une colline escarpée. Les caméras fixées aux poteaux alentour pivotaient pour suivre la progression de Connor, précaution que les gardes chargés de la sécurité de McDougal ne cherchaient nullement à dissimuler.

D'après les souvenirs d'Aidan, l'accueil méfiant qu'il avait reçu lors de sa première visite en ces lieux l'avait quelque peu impressionné. Il s'était écoulé près d'un an depuis, mais il n'aimait toujours pas la propriété. Simplement, son travail convenait si bien à ses besoins qu'il s'accommodait de cet inconvénient : son salaire et ses voyages tous frais payés compensaient largement un vague malaise.

Connor n'avait ni le temps ni le caractère requis pour s'inquiéter de ce qui l'attendait. Stacey et Justin avaient besoin de lui, alors peu importait qu'il se sente à l'aise ou non.

Un dernier virage, puis il gara la BMW de Lyssa à la place réservée à Aidan. Le bâtiment principal se trouvait derrière le tournant suivant, hors de vue. La construction plus modeste devant laquelle le géant s'était arrêté servait à l'usage personnel d'Aidan.

Quand le guerrier venait travailler, une équipe de six assistants était à sa disposition, mais comme à l'heure actuelle il aurait dû se trouver au Mexique, la petite bâtisse était déserte. Tant mieux, car le visiteur avait l'intention d'« emprunter » ce dont il avait besoin à McDougal, qui aurait plutôt eu tendance à considérer ça comme du vol.

Tirant de sa poche les clés d'Aidan, Connor déverrouilla puis poussa la lourde porte d'acier. La lumière s'alluma aussitôt à l'intérieur, dévoilant un couloir encadré de plusieurs pièces.

D'une certaine manière, les lieux rappelaient à la fois la caverne souterraine et la galerie privée du Temple des Anciens, celle dont le sol se dissolvait en tourbillons multicolores et en aperçus de l'infini étoilé. Il pouvait paraître étrange de comparer un stérile environnement aux mystères du Crépuscule, mais l'impression de déjà-vu était indéniable.

Quand Connor se servit de son passe pour ouvrir la troisième porte à droite, le senseur installé dans la pièce détecta le mouvement et la lumière s'alluma, révélant d'innombrables rangées de tables en acier inoxydable, couvertes de composants électroniques à différents stades d'assemblage, ainsi qu'une étagère spécialement conçue pour accueillir des dizaines d'ordinateurs portables, auxquels Connor s'intéressa aussitôt.

Comme Aidan était absent depuis longtemps, toutes les batteries étaient chargées. Connor prit donc la première à lui tomber sous la main, puis chercha du regard l'ordinateur auquel elle correspondait.

Même pour un homme comme lui, qui pourtant en avait vu d'autres, le nombre aberrant de précautions dont s'entourait McDougal était stupéfiant. Le géant se demandait souvent pourquoi le millionnaire se sentait si attiré par le passé reculé alors que le présent ne provoquait en lui que des inquiétudes névrotiques. Le riche collectionneur refusait en effet les visites, et les medias aimaient à le comparer à Howard Hugues dans les derniers stades de sa folie.

– Qui êtes-vous ?

Connor sursauta en reconnaissant la voix éraillée de McDougal. Il se retourna. Personne. Le maître des lieux s'adressait à lui par l'intermédiaire des haut-parleurs au son parfait, fixés aux quatre coins de la pièce.

– Connor Bruce, se présenta-t-il en essayant de mettre un visage sur cette voix cassée

Peut-être qu'il se servait d'un respirateur.

– Suis-je censé vous connaître, M. Bruce ?

Connor secoua la tête, un sourire ironique aux lèvres.

– Je crains que non, M. McDougal.

– Alors pourquoi vous emparez-vous de mon coûteux équipement technologique ?

Il se figea au moment de ranger le portable, maintenant fonctionnel, dans sa mallette rembourrée. La question était logique. Et le poste d'Aidan était assez précieux pour que son meilleur ami se sente tenu à l'honnêteté.

– C'est une urgence. J'ai besoin d'aide.

– Ah, je vois. Les mercenaires dans votre genre ne sont jamais totalement à l'abri du danger.

– Vous prenez les choses plutôt bien, commenta le géant.

– En quoi vos problèmes concernent-ils M. Cross ?

– Je l'ai assommé pour lui prendre sa voiture et ses clés.

– Et vous trouvez comme par magie votre chemin chez moi, comme si vous y étiez déjà venu souvent.

– Ben... c'est à peu près ça.

Il y eut un long silence, pendant lequel Connor continua à rassembler le matériel dont il aurait besoin pour localiser l'endroit d'où Rachel passerait son coup de fil.

– Je suis extrêmement riche, M. Bruce, reprit enfin McDougal.

– Je sais, monsieur.

Connor empoigna son sac, quitta la pièce et parcourut le couloir à grands pas.

– Ma richesse s'explique très simplement.

– Je n'en doute pas.

Connor tapa sur le clavier idoine le code qui déverrouillait la porte de l'armurerie.

– Je ne laisse pas les autres profiter de moi.

Le mécanisme émit un bip approbateur, puis les serrures pneumatiques jouèrent avec un bref sifflement. L'intrus poussa le lourd battant et posa sa mallette sur la table occupant le centre de la pièce. Un paradis pour les tireurs d'élite.

– Je ne profite pas de vous, monsieur.

Il entreprit d'alléger les étagères de différentes armes de poing, qu'il répartit à côté du portable.

— Je vous promets de vous rendre sous peu tout ce que je vous emprunte.

— Y compris M. Cross ?

— Surtout M. Cross.

Connor chargeait maintenant les armes de son choix.

— Il aura une vilaine bosse, mais à part ça, il se portera comme un charme.

— Je suis tenté de vous arrêter.

— Je suis tenté de vous rendre la chose difficile.

— Une douzaine de mes hommes sont en train de prendre position autour du véhicule de M. Cross en cet instant précis.

Connor tapota la poignée de son glaive, derrière son épaule.

— Mmh... J'aime beaucoup les épées, reprit McDougal.

— Moi aussi. Je peux faire pas mal de dégâts avec ça. Mais comme le résultat n'est pas joli-joli, je préférerais une sortie plus pacifique, si ça ne vous dérange pas.

Connor vida une boîte de munitions supplémentaire et se mit à remplir rapidement davantage de chargeurs.

— On sent que vous avez l'habitude des armureries, M. Connor.

— C'est une des qualités requises des mercenaires de mon genre.

— Quelques hommes comme vous ne me seraient pas inutiles.

Il ne s'agissait pas d'une simple constatation, mais d'une revendication. Les deux hommes savaient pertinemment qu'Aidan était à la merci de McDougal.

– Je crois que vous m'êtes redevable, M. Bruce. Qu'en pensez-vous ?

– Que voulez-vous ?

– Disons que vous me devez une future mission. De mon choix.

Connor réfléchit, un regard sombre fixé sur les armes qu'il tenait à cet instant. Son intuition le trompait rarement, il la savait digne de confiance, et elle lui soufflait que le temps pressait. Il exhala brusquement.

– Vous n'allez pas virer Cross ?

– Certainement pas. Après tout, ce n'est pas sa faute si vous l'avez assommé, n'est-ce pas ?

– Tout à fait.

– Parfait !

La voix rocailleuse exsudait la satisfaction.

– Voilà qui me met d'excellente humeur. Peut-être avez-vous besoin d'aide ? D'hommes, peut-être ? D'équipement ?

Super... Si McDougal lui offrait tout cela en compensation de cette future mission, Connor avait un sérieux problème. Tant pis, il ferait avec. Et puisqu'il avait signé un pacte avec le diable, autant vendre son âme à bon prix.

– Ouais, tout ça, répondit-il en se remettant au travail. Et vous n'auriez pas un hélico, par hasard ?

*
**

Aidan contempla le petit triangle filigrané aux motifs de métal complexes qu'il tenait dans sa main, et se demanda pour la énième fois quelle valeur il pouvait bien avoir. L'objet mesurait cinq centimètres de large et était transparent, ce qui excluait toute possibilité de compartiment secret. Si Aidan l'avait trouvé sans savoir de quoi il s'agissait, il l'aurait juste pris pour un pendentif ou un bijou quelconque.

– Coucou.

Lyssa tira la chaise voisine, s'assit à côté de lui et posa une tasse de café fumant devant elle.

– Alors, c'est ça ?

Le guerrier haussa les épaules puis fit pivoter le livre pour lui montrer le dessin de l'objet.

– C'est l'un des artefacts que je cherchais, oui, mais il ne fonctionne qu'associé à d'autres objets que nous n'avons malheureusement pas en notre possession.

– En tout cas, c'est un triangle. C'est bon signe, non ?

– Oui, c'est encourageant. Le bouquin parle du Mojave. Les coordonnées qui figurent là, lui expliqua-t-il en désignant un point précis de la page, correspondent à la zone du désert, et il est question de grottes, ce qui a tendance à le confirmer.

Elle posa la main sur la sienne.

– Je suis inquiète. S'il arrive quoi que ce soit à Justin, je ne crois pas que Stacey le supportera. Elle n'a que lui.

– Je sais.

Aidan se redressa sur sa chaise.

– Les Anciens sont très doués pour repérer et exploiter les faiblesses d'autrui. Je m'attendais à quelque chose de ce genre, mais je ne pensais pas qu'ils s'en prendraient à Stacey.

– Personne ne le pensait.

– Connor m'avait bien dit qu'elle pourrait être

en danger à cause de sa proximité avec toi, mais je pensais que c'étaient des craques, qu'il me disait ça pour justifier l'intérêt qu'il lui portait. À l'évidence, j'avais tort.

– Je crois qu'il craque vraiment pour elle.

– Oui.

Aidan soupira.

– Il me semble aussi.

– Bon, qu'est-ce qu'on fait maintenant ?

Lyssa lui lâcha la main et s'appuya au dossier de sa chaise.

– Je vais devoir chercher d'autres objets de ce genre...

Il leva le triangle pour l'observer à la lumière.

– ... En me basant sur les informations d'un livre écrit à une époque où le paysage était radicalement différent. Ça veut dire que je vais passer tout mon temps à voyager. Si Connor et Stacey pouvaient rester ensemble après ce qui s'est passé et va encore se passer cette nuit, ça m'enlèverait une épine du pied. Je ne peux pas protéger le monde entier à moi tout seul, Lyssa. Surtout que les choses ne vont pas en s'arrangeant.

– Si précieuse que soit l'aide de Connor, je ne suis pas sûre qu'elle suffise.

– Ouais, acquiesça Aidan en pinçant les lèvres. On a besoin de renforts. Dès qu'on aura le temps de souffler, je demanderai à Connor d'y réfléchir et de me dire qui faire venir du Crépuscule. Moi, je n'ai pas vu mes hommes depuis la rébellion, je ne sais même pas qui a déserté l'Élite et qui est resté fidèle aux Anciens.

Elle se pencha pour l'embrasser sur la joue.

– Je n'arrive pas à croire que les Gardiens fassent autant de sacrifices pour nous.

– C'est nous qui avons merdé, ma belle.

Il la prit par la nuque et frotta avec douceur son nez contre le sien.

– C'est à nous d'arranger les choses.

Le bruit d'une voiture qui s'engageait dans l'allée leur fit dresser l'oreille. Une autre la suivit. Puis une troisième. Ils se levèrent et se précipitèrent sous la véranda. Stacey, qui les y avait précédés, fixait les envahisseurs d'un regard inexpressif.

Un essaim de véhicules disparates prenait possession de sa pelouse. Hummer, Magnum, Jeep et camionnettes, leurs phares balayant toutes les directions alors qu'ils recouvraient peu à peu toute l'étendue du jardin de Stacey.

– Bon sang, murmura Lyssa.

– Je deviens folle, marmonna Stacey, les mains sur les hanches de son pantalon de jogging. Ce n'est pas possible autrement.

Connor descendit de la voiture la plus proche, une Magnum noire, surprit le regard interrogateur d'Aidan et haussa les épaules.

– J'ai amené des renforts.

– On dirait.

L'obscurité retomba devant la maison, car les phares s'éteignaient les uns après les autres. Hommes et femmes mirent pied à terre puis ouvrirent coffres et portières pour décharger un matériel impressionnant.

Connor monta quatre à quatre l'escalier de la véranda et leur fit signe d'entrer.

– On va installer le Q.G. chez toi, Stacey, expliqua-t-il en tenant la porte à Lyssa. Le portable que nous a donné Rachel contient un transpondeur, qui signale sa position au récepteur qu'elle a gardé. Il nous suffit de laisser le mouchard ici pour lui faire croire qu'on reste aussi.

Faites ce que vous voulez de la maison, du moment que je récupère Justin, répondit Stacey, le regard dur et décidé. Je me tape de tout le reste.

La porte moustiquaire s'ouvrit sur un flot d'inconnus en treillis gris.

– D'abord...

Connor montra Tommy au groupe qui venait d'entrer.

– Vous allez lui donner ce qu'il faut pour qu'il reste hors-jeu.

Il se tourna ensuite vers Stacey.

– On va le ramener à son hôtel, mais il vaudrait mieux que tu lui écrives un mot lui expliquant que Justin t'a appelée, qu'il voulait rentrer à la maison et que tu as préféré ne pas le réveiller pour éviter les disputes, ou quelque chose comme ça.

Devant l'expression dubitative de Stacey, il ajouta :

– Je n'ai pas plus crédible, mais si tu as une meilleure idée, je t'en prie.

– Fait chier.

– Bien d'accord.

Ce fut au tour d'Aidan d'obtenir l'attention du géant

– Alors ?

– C'est un triangle, mais qui fait partie d'un tout plus vaste. Tant que je ne saurai pas à quoi ressemblent les autres pièces, je ne saurai pas à quoi il sert.

Connor attrapa le sac que lui lançait un des hommes du millionnaire.

– Je vais me mettre à la mode, moi aussi.

Il montra du doigt ses auxiliaires, tous vêtus de noir, blanc et gris.

– McDougal n'a pas beaucoup de choix au rayon tenues de sport.

– Comment as-tu obtenu tout ça ? demanda Aidan.

– Je lui dois un coup de main.

– Tu peux compter sur moi.

– Merci. Bon, j'y vais avant que Rachel n'appelle. J'espère que vous allez la localiser.

Connor gagna la salle de bains indépendante, aux nuances pastel d'aigue-marine. Stacey aimait la couleur, parce qu'elle avait elle-même une personnalité colorée. C'est ce qu'il se dit en s'engouffrant dans la cabine, avant de réfléchir à toutes ces petites choses sans importance, qui devenaient importantes dès qu'elles concernaient Stacey.

Une des Gardiennes du Crépuscule, Morgane, avait servi de « plan cul » au *nouvel Odin,* comme elle avait surnommé le géant pendant des siècles. Quand il avait envie de s'envoyer en l'air vite fait, bien fait, sans se poser de questions ni faire la conversation, c'était à elle qu'il s'adressait. Ils avaient donc couché ensemble un nombre incalculable de fois. Pourtant, il ne se rappelait pas à quoi ressemblait l'appartement de Morgane. Elle aimait les fleurs, alors il lui en apportait chaque fois qu'il lui rendait visite, mais n'avait aucune idée de celles qu'elle aimait, ni des couleurs qu'elle aimait... Il ne s'était jamais intéressé à ses goûts.

Alors qu'il voulait tout savoir de Stacey.

Pourquoi elle ? Pourquoi maintenant ?

– Ah, bordel, murmura-t-il en se rinçant les cheveux.

Il avait mal à la tête, à force de s'interroger sur ce qu'il éprouvait. Stacey comptait, point. À quoi ça servait de savoir pourquoi ? Elle comptait, c'était tout.

Quand il quitta la salle de bains pleine de vapeur, quelques minutes plus tard, les employés de McDougal avaient pris possession du salon, de la cuisine et même de l'alcôve.

À sa grande surprise, le bourdonnement industrieux des conversations s'éteignit brusquement. Le géant fronça les sourcils, mais une sonnerie de portable passe-partout lui expliqua aussitôt le silence subit. Aidan lui lança l'appareil en le voyant apparaître sur le seuil de la cuisine.

Il attrapa l'appareil au vol et l'ouvrit dans la foulée.

– Allô ?

Le téléphone était branché à l'ordinateur posé sur la table, sous le regard attentif d'une jeune femme au visage impassible et aux cheveux bruns disciplinés avec sévérité. Elle leva le pouce pour indiquer que le programme entreprenait de localiser l'appelant.

– Bonsoir, capitaine Bruce, ronronna Rachel. Alors, vous avez la trinité ?

– Un triangle filigrané d'or ? s'enquit-il. Oui, on l'a.

– Parfait. Dès que je l'aurai récupérée et mise en lieu sûr, je vous enverrai...

– Pas question.

La main de Connor se crispa sur le portable.

– Tu récupéreras la trinité quand je récupérerai le gosse sain et sauf.

– Tu me blesses, capitaine. Après tout ce que nous avons affronté ensemble, vous ne me faites pas confiance, Cross et toi ?

– Pas une seconde.

– Ma foi, tant pis. Rendez-vous sur le parking du centre commercial de Del Mar, à Monterey.

– OK.

Il jeta un coup d'œil à la brune, qui secoua la tête. Il fallait qu'il prolonge la conversation.

– Rachel ? Laisse-moi te donner un conseil. Ne touche pas à un cheveu du gamin...

La voix de Connor baissa, menaçante.

– ... ou tu risques de ne pas apprécier ce qui t'arrivera.

Lorsqu'elle se mit à rire, il serra les dents, mais n'en attendit pas moins qu'elle raccroche avant de l'imiter.

– D'après la position du dernier émetteur, l'appel ne venait pas du Nord, mais de la région de Barstow, annonça la brune.

– À mon avis, elle se dirige vers le Mojave, intervint Aidan.

– On y va ? demanda Stacey en s'avançant.

Elle portait un débardeur noir, un pantalon de camouflage urbain et des bottes de combat, mais son expression était plus significative encore : ses yeux étincelants et ses lèvres pincées apprirent à Connor qu'il n'allait pas être facile de la dissuader de venir.

– Pourquoi est-ce que tu n'aiderais pas Aidan à tirer les choses au clair ? commença-t-il.

– Bien essayé, mais il est hors de question que je reste ici, répondit-elle.

Il jeta un coup d'œil à son compagnon d'armes.

– Tu envoies quelqu'un à Monterey ?

Ils se connaissaient si bien que les mots en devenaient inutiles. Les chances que Rachel se soit séparée de son otage étaient si infimes que c'était peu probable. Justin était avec elle. Ce qui signifiait que le rendez-vous était un leurre. Le désert se trouvait à trois heures de route, Monterey nettement plus loin : elle cherchait tout bonnement à gagner du temps.

– Je ne suis pas idiote, intervint Stacey en s'approchant de Connor.

Elle lui arrivait à peine à l'épaule mais, les mains sur les hanches, semblait prête à l'affronter sans hésiter.

– Tu penses m'envoyer à Monterey, hein ? Et parce que le désert est plus près d'ici, tu espères tout régler avant que je n'aie eu le temps de me mettre en danger.

Connor fit de grands efforts pour garder un air sévère, alors que le sourire lui montait aux lèvres.

– Si Justin est à Monterey, c'est là que tu devrais aller.

– Écoute.

Elle pencha la tête de côté.

– Je t'accompagne, point final. Si tu vas à Monterey, moi aussi. Si tu vas dans le Mojave, moi aussi. Maintenant, dépêche-toi de récupérer tes affaires et allons-y.

Elle se tourna vers Aidan.

– Qu'est-ce qu'on prend comme voiture ?

– S'il te plaît, Stace, intervint Lyssa en se levant de table, reste ici avec moi.

– Désolée, Doc, ce n'est pas possible.

Connor empoigna Stacey par le bras et l'entraîna dans le salon encombré, puis dehors. Il l'emmena jusqu'à l'extrémité de la véranda, près de la fenêtre de la chambre, le plus loin possible des allées et venues entre les voitures et la maison.

Elle le suivit en priant que ses jambes flageolantes passent inaperçues : une véritable terreur s'emparait d'elle à la pensée qu'il puisse se débrouiller pour ne pas l'emmener. Ce n'était peut-être pas raisonnable, mais il *fallait* qu'elle l'accompagne, elle en avait la certitude absolue. Elle ne se sentait plus chez elle ici, avec Lyssa dévorée de remords et Aidan qui ne pensait qu'à gérer au mieux les événements. Il lui semblait être une intruse perdue, déconcertée et, pour être honnête, terrorisée.

Connor représentait son seul point d'ancrage dans ce chaos. Il était stoïque, capable... et prêt à partir. Qu'allait-elle devenir, s'il la laissait sur place ?

Il s'arrêta en poussant un grand soupir, les yeux étincelants d'émotion dans l'obscurité. Des regrets mêlés de rancune enflèrent en Stacey.

– Que faut-il que je te dise pour te convaincre de rester ? commença-t-il de sa belle voix grave, à l'accent si séduisant.

– Rien, répondit-elle – un petit mot qui se fêla malgré elle.

– Mon cœur...

Le désespoir qui vibrait dans la voix du géant suffit à faire déborder ses larmes.

– Tu ne peux pas me laisser ici, Connor. Tu ne peux pas.

Il lui prit tendrement le visage à deux mains et l'embrassa sur le front.

– Je n'arriverai pas à réfléchir si tu viens. J'aurai trop peur pour toi.

– S'il te plaît, implora-t-elle dans un souffle quasi inaudible. S'il te plaît, emmène-moi. Je vais devenir folle, si je reste.

Il allait refuser, elle le savait. Ses poings se crispèrent sur le T-shirt qui dissimulait le torse musclé, dont elle percevait la chaleur brûlante à travers le coton noir.

– Tu me dois bien ça. Je te jure que si tu me laisses en plan, je ne te le pardonnerai jamais. On n'aura jamais notre chance, toi et moi, si tu pars sans moi.

Il se raidit et releva la tête.

– Alors on a une chance, maintenant ?

La jeune femme déglutit péniblement, la poitrine prise dans un étau de douleur et de désir ardent.

– Stacey ?

Les lèvres de Connor se pressèrent contre les siennes, qu'il caressa du bout de la langue.

– Je ne sais pas, souffla-t-elle, bouche à bouche. Je n'arrive pas à réfléchir à tout ça. Ce que tu es... ce que ça signifie... Mais j'ai besoin de toi. D'être avec toi.

Il posa la tempe contre la sienne en jurant tout bas.

– Tu vas devoir m'écouter. Obéir au moindre de mes ordres sans poser de question.

— Oui, promit-elle en se serrant contre lui. Je ferai tout ce que tu voudras.

— Tu me tues.

Il l'embrassa avec fougue et possessivité, passant doucement ses pouces sur les pommettes encore mouillées de larmes de la jeune femme. L'étreinte dont il l'enveloppait était presque trop énergique, la passion qu'il y mettait presque trop violente, mais elle en fut heureuse, car il lui communiquait force et chaleur, alors qu'elle se sentait faible et glacée. Quand il s'écarta d'elle à contrecœur, elle le regretta aussitôt.

— Allez, prend tes affaires, lança-t-il avec un soupir résigné. Plus vite on partira, plus vite on ramènera Justin.

Un élan de reconnaissance souleva Stacey, qui le retint le temps de l'embrasser encore une fois.

— Merci.

— Ça ne me plaît pas, gronda-t-il. Ça ne me plaît pas *du tout.*

Il le faisait pourtant, parce qu'il ne pouvait le lui refuser, capitulation infiniment précieuse pour la jeune femme.

Elle rangea cette impression dans un coin de son esprit en se promettant de mieux l'examiner un autre jour.

chapitre 14

Connor regardait la route droit devant lui en s'interrogeant sur sa santé mentale. Il l'avait manifestement perdue, ou Stacey n'aurait pas occupé le siège passager, juste à côté de lui.

– Alors, vous êtes immortels ? demanda-t-elle d'une voix hésitante.

Les doigts de son compagnon se crispèrent sur le volant. Le moteur puissant de la Magnum les entraînait sur la voie rapide à plus de cent trente kilomètres par heure, mais la nervosité qui le rongeait lui donnait l'impression de faire du sur-place. Ils allaient mettre un moment à atteindre leur destination.

– On peut nous tuer, répondit-il enfin, mais ça demande du travail.

– Tu... tu vas tuer Rachel ?

Connor jeta un coup d'œil en coin à Stacey.

– Ce sera peut-être nécessaire.

Elle hocha la tête d'un air sinistre.

– Je ferai mon possible pour que tout se passe bien, mais si jamais ça coince, on ne peut pas se permettre de rater notre coup.

– Non, c'est vrai.

Le sourire tremblant de la jeune femme se voulait rassurant, mais serra le cœur de Connor.

– Quand tu m'as donné le pistolet et que tu m'as expliqué comment m'en servir, je me suis dit que tu aurais peut-être besoin de moi.

– C'est pour te protéger. Ne t'inquiète pas pour moi, Stacey.

L'une des mains de Connor lâcha le volant et se posa sur celles de la jeune femme, crispées sur le Glock qu'il lui avait donné.

– Ne meurs pas. C'est tout ce qui compte.

Le silence s'installa et s'étira. Il n'était pas agréable, mais pas vraiment gênant non plus.

Stacey soupira, puis se tortilla sur son siège avant de se tourner vers lui.

– Alors il suffit que je le tienne fermement à deux mains et que j'appuie sur la détente en continu jusqu'à ce que j'aie complètement vidé mon chargeur, c'est ça ? Même si l'ennemi est au sol ?

– Surtout s'il est au sol. On ne peut pas les tuer avec un flingue. Ça ne fera que les ralentir, le temps que je les achève.

– À l'épée.

– C'est ça. La plupart des blessures des Gardiens guérissent vite, mais quand on se fait couper un membre ou la tête, ça ne repousse pas.

– Beurk...

Elle frissonna.

– Et garde les yeux ouverts. Ça a l'air idiot, dit comme ça, mais la détonation a tendance à faire cligner des paupières, et tu peux rater un tir à cause de ça.

– Les yeux ouverts, OK.

Le kit mains-libres leur signala un appel. Ils échangèrent un coup d'œil, puis Connor répondit :

– J'espère que tu as de bonnes nouvelles, mec.

– On a localisé la berline noire, répondit Aidan par l'intermédiaire des haut-parleurs. Tu ne t'es pas trompé dans les chiffres de la plaque. Elle nous a menés à une agence de location de San Diego dont tous les véhicules sont équipés d'un GPS. Vous les avez presque rejoints.

– Où sont-ils ? s'écria Stacey.

– Ils se sont arrêtés à Barstow, près de l'endroit d'où avait appelé Rachel. J'espère qu'ils y passent la nuit et qu'ils n'ont pas juste décidé de se débarrasser de la voiture.

Connor regarda la pancarte verte qu'ils dépassaient à cet instant précis.

– On arrive à Barstow dans moins de dix minutes.

– J'ai envoyé un hélico, reprit Aidan. Vous en aurez peut-être besoin.

– Stace ? appela la voix inquiète de Lyssa. Ça va ?

– Très bien, Doc.

– Tout le monde ici a craqué pour ta tarte aux pommes. J'espère que ça ne te dérange pas. Vous êtes partis depuis un moment, et ces messieurs-dames avaient faim.

– Tu plaisantes ?

Un sourire forcé jouait sur les lèvres de Stacey.

– Ils m'aident à récupérer mon fils. Je les adore, tous autant qu'ils soient. Ils peuvent manger absolument tout ce qu'il veulent.

– Hé ! protesta Connor, décidé à collaborer avec Lyssa pour remonter le moral de sa passagère. Gardez-moi une part.

— Ne t'en fais pas.

Stacey lui toucha le bras, mais retira aussitôt sa main.

— Je ferai une tarte rien que pour toi. Tu n'auras pas à la partager.

Le regard qui accompagnait cette promesse coupa le souffle à Connor. Un regard tendre. Le langage corporel de la jeune femme lui disait qu'elle restait sur ses gardes, mais qu'il avait malgré tout des raisons d'espérer.

— Ils sont en train de se chamailler pour savoir qui en aura, dit Lyssa en riant. Il n'y en a qu'une et ils sont trop nombreux.

— Mais je maintiens qu'elle n'est pas meilleure que le sexe, intervint Aidan.

— Ça dépend avec qui ! lança quelqu'un, en fond sonore.

La remarque fit monter aux lèvres de Stacey un sourire sincère qui soulagea Connor. Elle était si pâle, avec ses yeux démesurés et les rides de stress qui entouraient sa bouche sensuelle.

— Vous me donnez faim, se plaignit-il.

Il n'avait même pas pris de petit déjeuner. Lui qui n'aimait pas se battre l'estomac vide...

— Bon.

Le ton énergique d'Aidan réveilla son attention.

— C'est la prochaine sortie.

Connor jeta un coup d'œil dans le rétroviseur. Grâce aux nombreux rêves qu'il avait partagés, il avait appris à conduire et à déchiffrer les indications signalétiques, ce qui lui était à présent bien utile. Les seuls véhicules à les suivre, Stacey et lui, étaient ceux des renforts – camionnettes de « l'équipe de nettoyage » et Hummer pleins de mercenaires armés jusqu'aux dents. Un jour, il demanderait à Aidan pourquoi McDougal avait besoin d'une véritable armée ; en attendant, il était ravi de disposer de troupes aussi nombreuses.

– Ça y est, on a pris la bretelle de sortie.

Aidan guida Connor jusqu'à un motel qui n'avait sans doute jamais connu de jours meilleurs et qui en connaissait à l'heure actuelle de fort mauvais. Le bâtiment à un étage avait peut-être été couleur pêche et brun à une époque, mais l'éclat jaune des réverbères du parking ne permettait pas de l'affirmer. De toute manière, la peinture s'écaillait, délavée par le soleil californien.

Connor se gara un peu plus loin sur la route, avant d'annoncer :

– On y va.

– Sois prudent, prévint Aidan. Et comme tu n'as jamais travaillé avec des humains, laisse-moi te donner un conseil : n'essaie pas de tout faire tout seul. McDougal ne jette pas son argent par les fenêtres, il n'embauche que la crème de la crème, ton équipe est donc parfaitement fiable. De plus, je suis prêt à parier que son aide te reviendra très cher, en fin de compte, alors n'hésite pas à t'en servir. J'ai besoin de toi vivant.

– Compris.

Malgré le côté abrupt de la recommandation, Connor la savait dictée par l'amitié et y puisait un grand réconfort. Si étranger que soit ce monde, il n'y était pas seul, comme il en avait eu un moment l'impression.

Coupant la communication, il descendit de voiture, aussitôt imité par Stacey. Il dépassait le véhicule de plus d'une tête, alors qu'elle devait se hisser sur la pointe des pieds pour regarder par-delà le toit.

— Écoute-moi bien, dit-il. On va jeter un coup d'œil aux alentours, notamment à la berline et à la réception, avant de vérifier s'ils sont là ou s'ils ont juste changé de moyen de transport.

La jeune femme hocha la tête d'un air lugubre.

— N'essaie pas de jouer les héroïnes. Je suis doué, mon cœur, tu peux me croire, mais ils sont plusieurs et ils ont un otage. Je ne peux pas m'occuper de tout ce beau monde et veiller sur toi en plus. S'ils sont là, reste à l'abri, ça me permettra de me concentrer sur Justin et pas sur ta protection à toi.

Stacey avait l'air de souffrir le martyre à la pensée que son fils était peut-être là, tout près, mais qu'elle devait se retenir de courir le rejoindre.

— Je comprends, dit-elle pourtant.

— Tu me fais confiance ?

Connor ne cherchait pas à dissimuler les émotions que la question soulevait en lui. À cet instant précis, son manque de détachement constituait à la fois sa plus grande force et sa pire faiblesse.

Les lèvres de Stacey se pincèrent à en blanchir, tandis que ses yeux s'emplissaient de larmes.

Il frappa le toit de la voiture avec une telle force qu'elle sursauta, saisie.

— Ça suffit ! Arrête de penser aux minables du passé et pense un peu à *moi* ! Est-ce que tu me fais confiance, à *moi* ?

– On vient juste de se rencontrer bon sang ! Arrête de faire comme si on se connaissait depuis toujours !

– Je tiens à toi, Stacey. Je me fous de savoir depuis combien de temps on se connaît, c'est là que ça se passe...

Il se frappa la poitrine.

– ... Et ça me suffit. Si tu voulais bien arrêter de te dire que tous les hommes sont les mêmes, tu te rendrais compte que ce n'est pas une question de temps.

– Facile à dire, M. l'Alien-Immortel.

– Ouais, mais toi tu ne l'es pas, et pourtant tu gâches le temps que tu as.

Connor leva la main pour couper court aux protestations de Stacey.

– J'ai vécu des siècles, Stacey. J'ai connu je ne sais combien de femmes, j'en ai fréquenté certaines des années, j'ai fait avec elles des choses que je n'ai pas encore eu le temps de faire avec toi, mais je sais déjà que cette fois-ci, c'est différent.

Il secoua la tête en reculant et en ouvrant la portière arrière, côté conducteur.

– Laisse tomber. Je ne sais pas pourquoi j'ai posé la question.

– Je n'ai pas dit que je ne te faisais pas confiance, siffla-t-elle en contournant l'arrière de la Magnum.

– Tu n'as pas dit le contraire non plus.

Il lui fit signe d'approcher, puis lui présenta un holster

– Pour le flingue. Et n'hésite pas à te défendre si nécessaire.

Le holster en place, il resserra les sangles avec soin puis fit se tourner la jeune femme vers lui.

– Mais si tu peux fuir, fais-le, ne tire que si tu n'as pas le choix, compris ?

– Oui.

Il allait s'éloigner quand elle l'attrapa par le bras.

– Je sais que tu n'es pas comme les autres.

Le pouce de Stacey frottait doucement la peau de Connor, caresse aussi innocente que machinale.

– Putain non, je ne suis pas comme les autres, gronda-t-il en l'embrassant rudement, avant qu'elle ne puisse s'écarter. Je t'épuiserai. Je te casserai les pieds chaque fois que je serai en ville. Je te sauterai dessus à la moindre occasion, même si tu me dis non... merde, surtout si tu me dis non.

Stacey le fixait de ses grands yeux écarquillés en se mordillant la lèvre.

– Je ne peux pas te promettre de porter un costume-cravate et de rentrer à la maison tous les soirs...

Il l'écarta pour prendre son glaive sur la banquette et le ceindre dans son dos.

– ... Mais je peux t'assurer que je veillerai sur toi. Et je suis borné, alors tu ferais mieux de t'habituer à moi tout de suite... Tiens, ajouta-t-il en lui fourrant un coupe-vent dans les bras, ça cachera le flingue.

Il s'examina lui-même d'un œil critique.

– Et merde, on ressemble à des clodos. Tant pis.

– C'est là que j'interviens...

Stacey tira de ses poches deux gros élastiques colorés à paillettes. Une minute plus tard, deux couettes de gamine au sommet du crâne et un rouge à lèvres voyant appliqué à la truelle, elle s'ajustait un gros collier en cuir devant la vitre de la voiture.

– Tadaaa...

– Beuh... fit Connor, le front plissé.

Elle haussa les épaules.

– Je me suis dit qu'il faudrait un minimum de créativité pour faire passer ce genre de pantalon, alors j'ai emporté de quoi me déguiser vraiment. Les gros-bras et ton épée, là, en revanche, je peux rien faire.

Elle englobait d'un geste vague la petite armée qui s'équipait un peu plus loin.

Si jamais quelqu'un nous pose des questions, on n'aura qu'à dire qu'on cherche une soirée costumée.

– Oui... bon... Le collier me plaît.

Elle frissonna sous le regard intensément appréciateur qui l'enveloppait. Connor persistait à lui faire des compliments malgré la colère et le stress. Quoi qu'il arrive entre eux par ailleurs, elle lui en était reconnaissante, de même qu'elle lui était reconnaissante d'être là. Certes, ce qui se passait intéressait au premier chef le « peuple » des Gardiens, mais Connor se battait pour Justin plus que pour la trinité, elle le savait parfaitement.

– On est prêts, alors ? demanda-t-elle d'une voix brouillée par la gratitude.

– Autant qu'on le sera jamais.

Il referma la portière, prit Stacey par le coude et regarda les hommes les plus proches.

– Quatre pour sécuriser le périmètre. Les autres, avec moi.

Quand il entraîna la jeune femme à travers la rue jusqu'au parking du motel, elle apprécia à leur juste valeur la force et la décision de sa poigne. Les voitures garées sur le macadam jonché d'ordures et fissuré se révélèrent plus vieilles et plus usées que la moyenne, donc parfaitement assorties aux réverbères alentour qui, pour la plupart, clignotaient avec un bourdonnement exaspérant, quand ils n'étaient pas tout bonnement éteints. Le hurlement plaintif d'un chien s'éleva non loin de là, bande-son idéale de cette misère.

Stacey et Connor avaient débarqué à Barstow avec douze hommes, dont huit les accompagnaient à présent sur le parking. Connor n'eut qu'un geste à faire pour que quatre d'entre eux s'écartent du groupe et se faufilent entre les véhicules.

– Ce n'est pas possible, murmura Stacey, je ne vois pas Rachel passer la nuit dans un endroit pareil. Il y a des dizaines d'autres hôtels par ici, et le désert est tout près.

Connor hocha la tête, elle s'en aperçut du coin de l'œil.

– Entièrement d'accord. À mon avis, elle a juste lourdé la voiture, mais c'est quand même bizarre. La berline est à peu près aussi discrète que le nez au milieu de la figure. Regarde-moi ça. On ne risque pas de la rater.

La peinture noire qui brillait au clair de lune filtré par les nuages était en effet très repérable, bien que les kidnappeurs se soient garés dans un coin sombre du parking. Les arrivants s'en approchèrent lentement, prudemment, Connor en tête, Stacey quelques mètres derrière lui, avec les employés de McDougal.

Il s'arrêta non loin de la voiture et lui fit signe de se poster près de la base en ciment massive d'un lampadaire.

– Toi, tu restes là. Tu montes la garde.

– Je donne l'alerte pour quoi ?

– Les gens qui viennent, quels qu'ils soient.

Il posa sur un des hommes un regard dur, intense, qu'elle fut incapable d'interpréter.

– Il faut que j'examine cette voiture sans être dérangé. Restez aux aguets et prévenez-moi au moindre bruit suspect.

Stacey était quasi certaine qu'il voulait juste se débarrasser d'elle, mais elle lui avait promis de l'écouter et avait la ferme intention de tenir parole.

Voilà pourquoi elle obtempéra sans mot dire, suivant son coéquipier désigné jusqu'au pied du réverbère, où elle parcourut les alentours du regard. Ils se trouvaient tout au bout du parking, bien placés pour le surveiller entièrement... mais aussi pour le sentir, car il y régnait une puanteur atroce. Un certain nombre d'animaux – et peut-être d'humains – avaient manifestement utilisé ce coin reculé comme toilettes.

Un mélange d'angoisse et de dégoût souleva l'estomac de la jeune femme, pendant que Connor et ses hommes s'activaient sur la voiture dans un silence presque parfait. Elle se demandait franchement ce qu'ils trafiquaient, mais le type chargé de monter la garde avec elle restait muet, inexpressif.

Il avait beau faire un froid de canard, sans doute frissonnait-elle surtout de peur. Le clignotement obstiné du néon indiquant qu'il restait des chambres disponibles attira presque malgré elle son attention sur la réception, dont la porte vitrée se révélait aussi sale que le reste du motel. Les éclaboussures qui couvraient en partie le verre étaient même si sombres et si collantes qu'elles devaient être là depuis des années.

Connor rejoignit ses deux guetteurs avec une telle discrétion que Stacey ne se serait rendue compte de rien si elle n'avait pas été aux aguets. Elle l'interrogea du regard.

– À la réception, chuchota-t-il avec un empressement suspect, en l'attrapant par le coude et en l'entraînant.

– Pourquoi ça ?

– Parce que je le dis.

Quelque chose dans sa voix poussa la jeune fille à jeter un coup d'œil par-dessus son épaule. Deux des hommes étaient restés près de la berline, mais elle ne voyait pas ce qu'ils avaient fait à la voiture – en admettant qu'ils aient fait quoi que ce soit.

Un scintillement attira alors son regard, le reflet du clair de lune. Elle ralentit.

Un liquide quelconque suintait du coffre et une flaque luisante s'agrandissait peu à peu sur l'asphalte, juste en dessous. La lenteur de l'écoulement prouvait que la substance était plus épaisse que de l'eau...

– Mon Dieu !

Stacey trébucha, mais, sans ralentir le pas, Connor l'empêcha de tomber.

– Qu'est-ce qu'il y a dans le coffre ?

– Notre ami aux grandes dents.

Le cœur serré, elle déglutit péniblement.

– Tu pensais que c'était peut-être Justin, hein ? C'est pour ça que tu m'as dit de rester à l'écart.

– C'était une possibilité.

Il avait les lèvres pincées, le regard fixé droit devant lui, la démarche énergique.

— Tu crois qu'il est mort ?

La voix de Stacey dérapa dans les aigus, tandis qu'elle cherchait à se dégager.

— Qu'est-ce qu'il y avait dans cette voiture ? Dis-le moi !

Connor s'arrêta net et la tira brutalement à lui.

— La ferme, bordel !

Il adressa aux autres un petit coup de menton pour leur dire de continuer à avancer puis, une fois seul avec elle, reprit :

— Il n'y avait rien qu'un corps et une tête, aucun des deux n'appartenant à ton fils.

— Oh mon Dieu... Oh mon Dieu...

— C'est maintenant qu'il faut me montrer la confiance que je t'ai demandée.

Elle hocha violemment la tête en s'écartant de lui pour lutter contre l'angoisse qui l'oppressait.

— À présent, on va à la réception, continua-t-il d'une voix plus douce. Il y a peut-être des caméras dans ce trou à rats. Il faut les mettre hors service, prendre les numéros des chambres occupées et les visiter l'une après l'autre pour vérifier qu'ils ne sont pas là.

Stacey se plia en deux, haletante. Un instant plus tôt, elle mourait de froid, et voilà qu'elle était en nage.

— Tu crois qu'ils sont toujours là ?

— Probablement pas, mais il faut s'en assurer. Viens.

Il la redressa d'une traction et repartit.

— Tu as voulu venir, garde ton calme.

Comment aurait-elle pu garder son calme alors qu'elle avait envie de vomir ? Ceux qui avaient enlevé son fils étaient du genre à décapiter les gens, puis à fourrer leurs cadavres dans les coffres de voitures.

– Je vais vomir.

Connor jura tout bas et s'arrêta de nouveau.

– Ça suffit, ordonna-t-il d'un ton sec. Il faut y aller, tu comprends ça ? Je t'ai promis de récupérer Justin. Je t'ai promis de ne pas te laisser tomber si tu me donnais ma chance. Ne me fais pas tout rater.

Elle hocha la tête, le souffle court, chassant par la seule force de sa volonté les images terrifiantes qui avaient envahi son esprit. Il avait raison, elle le savait. Si elle craquait maintenant, elle allait tout gâcher.

– Je te suis.

Il la redressa, une fois de plus, puis lui releva la tête en la tenant par le menton pour lui ouvrir les voies respiratoires et l'aider à inspirer à fond.

– Tu es courageuse, mon cœur.

Il l'embrassa sur le bout du nez.

– Je suis fier de toi. Allons-y.

Un pied devant l'autre. Elle pouvait le faire, pas à pas. Du moins s'en était-elle convaincue avant d'atteindre la porte vitrée, où un des hommes les arrêta.

– Il vaudrait peut-être mieux qu'elle reste dehors, prévint-il.

Alors seulement Stacey comprit, pour les éclaboussures : c'était du sang. Très peu, comparé à la quantité répandue dans ce qu'elle distinguait de la réception.

Une nausée la secoua.

– Ne vomis pas, prévint Connor en la bâillonnant de sa grande main et en la tirant en arrière.

Il poursuivit à son oreille, d'une voix basse et rauque :

— Les autorités vont enquêter. Il ne faut laisser aucun indice biologique derrière nous. Compris ? Fais oui de la tête si tu comprends.

Elle resta tétanisée d'horreur, incapable de remuer un cil.

— Bon.

Il la souleva puis repartit vers le trottoir.

— Je te ramène à la voiture. Tu vas t'enfermer à l'intérieur, avec le flingue...

Cette fois, elle se débattit pour l'obliger à la reposer.

— Attends, protesta-t-elle, je vais y arriver. Je veux aider.

— Tu es dans tous tes états. Tu vas te faire arrêter et accuser de meurtre.

— Je peux monter la garde.

Comme il secouait la tête, elle lui posa la main sur le torse.

— Connor... je ne me le pardonnerai jamais si je ne t'aide pas.

— Tu peux m'aider en appelant Aidan et en lui disant de s'activer.

Il lui prit le visage à deux mains avec douceur pour la regarder bien en face. Malgré l'obscurité, elle n'eut aucun mal à deviner l'émotion qui brillait dans les profondeurs limpides de ses yeux bleus.

— Tu illumines ma vie. Tu l'embellis. Tu me rends heureux. Je veux que ça continue. Laisse-moi au moins te protéger de ça.

Elle hésita, torturée par l'impression que lui obéir reviendrait à le laisser tomber, puis releva la tête vers la réception, derrière lui. Une violente nausée la secoua.

– Tu as raison, reconnut-elle, je ne le supporterai pas. Ramène-moi à la voiture, je vais passer le coup de fil.

Connor lui posa la main au creux des reins et la poussa vers la Magnum à une telle allure qu'elle dut presque courir pour suivre le mouvement.

– Je suis désolée, ajouta-t-elle quand il ouvrit la portière avec la télécommande et l'aida à se glisser sur le siège passager.

– De quoi ? De faire ce qu'il faut ? De connaître tes limites ?

Il se pencha pour la regarder dans les yeux.

– Je t'admire, mon cœur. Tu ne m'as pas déçu. Attends-moi, ajouta-t-il en se redressant. Pose le pistolet sur tes genoux, prêt à tirer. Et appelle Aidan.

Sitôt la portière refermée, il réactiva l'alarme et disparut.

Stacey décida de ne pas se servir du kit mains-libres.

– Alors ? lança Aidan dès la première sonnerie.

– C'est moi.

– Salut, Stace, reprit-il d'une voix plus douce. Qu'est-ce qui se passe ?

– On a retrouvé la voiture. Le conducteur est mort. Décapité. Dans le coffre. Il y a aussi un mort à la réception. Ou plusieurs. Je n'ai pas pu entrer. Il y a trop de sang. D... des litres et des litres. P... partout...

– Chuuut, tout va bien. On va s'en occuper. Comment tu te sens ? Ça va ?

– Oui...

Elle expira longuement en jetant un coup d'œil au motel.

– Où est Connor ?

– Il est allé voir quelles chambres étaient occupées.

La route et la voie d'accès à l'établissement délimitaient un angle dans lequel se trouvait le hall, visible à la fois depuis la rue et le bâtiment, car deux de ses murs étaient en verre. Toutefois, la partie inférieure de la pièce était dissimulée par des présentoirs à brochures et la table couverte d'une nappe sur laquelle trônait une cafetière. Connor dit quelque chose à un de ses hommes, qui hocha la tête puis se dirigea vers la Magnum.

– Et toi, où es-tu ?

– Il m'a enfermée dans la voiture.

– Parfait. Ne t'énerve pas. Les renforts sont en route, ils ne vont pas tarder à arriver.

– C... Connor...

La voix de Stacey se brisa.

– Ne t'inquiète pas pour lui, reprit Aidan d'un ton ferme. On s'est beaucoup battus en tandem. C'est le meilleur guerrier que je connaisse. S'il s'agissait de mon enfant, je ne demanderais à personne d'autre que lui de m'aider. Tu ne peux pas rêver mieux.

Elle hocha la tête d'un petit coup sec.

– Stace ? Tu es toujours là ?

– Oui. Désolée. J'ai oublié que tu ne me voyais pas.

Un gloussement hystérique lui échappa.

– Je n'arrive pas à croire que j'ai fait une tarte cet après-midi même.

Et l'amour... avec un homme qui me rend dingue.

— Tu n'as que cinq minutes à attendre. Dès qu'on aura sécurisé le motel, tu pourras rentrer en hélico.

— Non, protesta-t-elle en secouant la tête. Je veux être là quand ils retrouveront Justin.

Le soupir d'Aidan fut parfaitement audible.

— Alors obéis au moindre des ordres de Connor.

— Bien sûr.

Lorsqu'ils raccrochèrent, un silence pesant engloutit Stacey, qui se sentait isolée malgré le garde planté à sa portière. Alors seulement elle s'aperçut que son cœur battait à tout rompre et que son souffle court lui donnait un peu le tournis.

— Du calme, murmura-t-elle en se forçant à respirer lentement, profondément. *Du cal-me.*

Un scintillement lui fit lever le regard.

Vers la gauche, où un petit talus boisé bordait la chaussée.

Rachel se tenait au bord de la route, véritable vision d'horreur, sa beauté réduite à un entrelacs cauchemardesque de plaies et de lacérations qui auraient tué n'importe quel être humain. Son cuir chevelu en partie arraché dévoilait la blancheur de son crâne.

Mais ce ne fut pas ce spectacle qui arracha un hurlement à Stacey.

Si sa terreur fut aussi vive, c'est que l'apparition portait sur l'épaule son fils, complètement inerte, et brandissait une épée meurtrière.

Son cri perçant alerta le garde, qui repéra le duo macabre et fonça aussitôt dessus en braillant quelque chose dans son casque. Stacey se jeta frénétiquement sur sa portière, à la recherche du système de déverrouillage, dévida une série de jurons rageurs tant que la serrure ne céda pas, puis se jeta dehors en trébuchant. Une exclamation de surprise lui échappa quand Connor la frôla à toute allure. Elle se précipita dans son sillage, mais un violent haut-le-cœur la souleva lorsqu'elle contourna le pare-chocs.

La tête du garde s'immobilisa juste devant elle, les yeux aveugles, la bouche ouverte, à jamais figée dans une grimace de terreur.

Stacey releva les yeux. Cinq ou six monstres aux allures de goules se jetaient sur Connor, qui maniait son glaive à deux mains avec une rapidité extraordinaire, fauchant autour de lui une moisson de bras et de jambes. Il se déplaçait au centre d'un cercle mouvant d'acier scintillant, plongé dans une danse meurtrière d'une grâce et d'une souplesse fascinantes. Les mercenaires en tenue de camouflage qui escaladaient le talus à toute allure donnaient à la scène un petit air de film d'horreur.

La jeune femme contempla un instant ce spectacle terrifiant avec stupeur, émerveillée par la puissance et l'élégance de Connor. Une carrure aussi impressionnante, associée à une telle agilité, une telle vivacité... Le voir combattre avec tant d'adresse et de concentration donna de l'assurance à Stacey. Sans lui, elle serait restée paralysée de peur. Avec lui, elle se sentait capable de tout.

Elle se mit à courir en glissant la main sous son coupe-vent pour attraper la poignée du Glock, qu'elle dégaina d'un geste brusque. Le poids de l'arme la rassura. Elle n'en avait jamais utilisé de sa vie, mais elle était plus que prête à s'en servir s'il le fallait.

Une grosse racine la fit trébucher. Elle tomba à genoux brutalement, douloureusement, se remit sur pied et repartit, mais ce bref arrêt lui avait porté chance en lui permettant de repérer une chaussure, derrière un arbre.

Celle de Justin.

Stacey se précipita pour la ramasser puis regarda autour d'elle. L'autre était là aussi.

Au pied de son fils.

– Justin !

Elle se jeta sur lui et se mit à le palper de sa main libre, à la recherche d'une blessure ou d'un signe de vie. Il était si pâle, les yeux cernés, la joue éclaboussée de sang séché... Stacey posa son pistolet pour le secouer par les épaules.

– Justin ! Réveille-toi, mon chéri. Allez, réveille-toi ! S'il te plaît !

Elle lui fit un semblant de massage cardiaque, lui asséna une claque, lui pinça les joues.

– Non... tu ne peux pas me faire ça. Justin, mon bébé... Réveille-toi ! *Justin* !

Quand il se mit à tousser, elle poussa un cri de soulagement, la vision brouillée par des larmes de bonheur, le cœur serré dans un étau d'amour. Il se roula en boule en gémissant. Stacey était si concentrée sur son fils qu'elle se rendit compte du danger trop tard. Une vive douleur lui transperça le bras, puis un froid glacial se répandit dans son biceps. Elle se débattit de toutes ses forces, hurlante.

Un rugissement de fauve s'éleva dans son dos, il lui sembla entrevoir une chevelure dorée, puis Rachel décolla de terre et s'envola littéralement. Malgré ses blessures, elle riait en retombant sur l'humus, alors que Stacey découvrait la grosse seringue plantée dans son bras.

– Je reviendrai chercher ce qui est en toi, siffla son adversaire avant de se réfugier d'un bond surnaturel hors d'atteinte de Connor, qui se jetait sur elle, l'épée brandie.

– Espèce de garce ! hurla Stacey en tombant à la renverse, la main tendue vers son pistolet.

Connor plaqua Rachel à terre, où ils se mirent à lutter. Stacey avait beau essayer de trouver le bon angle de tir, un froid insoutenable remontait de son bras jusqu'à son cerveau. Elle sentit qu'elle allait perdre connaissance.

Son champ de vision commençait juste à se réduire, grignoté par l'obscurité, quand Rachel se rejeta en arrière, lui offrant une cible parfaite. La jeune femme tira ses balles l'une après l'autre, jambes écartées bien ancrées au sol, vidant son chargeur dans le corps martyrisé. Rachel tressaillit à chaque impact avant de retomber à terre.

En *riant*.

Et ce rire, Stacey l'emporta avec elle dans le néant de l'inconscience.

chapitre 15

— Ça va, champion ? demanda Connor en s'asseyant à côté de Justin sur le canapé et en lui tendant un énorme mug de chocolat chaud.

— J'ai froid.

Des cernes sombres soulignaient les yeux écarquillés de l'adolescent, dont la peau conservait une pâleur inquiétante : il était encore sous le choc. La boucle brune qui retombait sur son front lui donnait l'air un peu perdu et très jeune, pour ses quatorze ans.

— Je vais te chercher une autre couverture.

La porte d'entrée s'ouvrit et la température baissa encore, mais les hommes de McDougal remballaient leur équipement et Justin ne voulait pas aller dans sa chambre. Il préférait les allées et venues, auxquelles s'ajoutait le bruit hypnotique de la télé, à laquelle il ne prêtait pourtant aucune attention. Toute cette agitation le rassurait.

— Merci Connor.

La reconnaissance inscrite sur les traits du gamin bouleversa le géant. Les Anciens allaient payer pour ce qui c'était passé cette nuit. Cher.

— Je t'en prie.

Il se releva et gagna le couloir menant aux chambres. On avait administré dans l'hélico une dose de bêta-bloquant à Justin, qui continuerait à en prendre quatre fois par jour pendant une semaine et demie. La « pilule de l'oubli » en était encore au stade expérimental, mais les résultats des essais cliniques se révélaient prometteurs. Connor croisait les doigts pour qu'elle fasse son effet sur l'adolescent.

Il se rappellerait ce qui s'était passé, mais sans les émotions associées aux événements. Ses souvenirs détachés lui offriraient un rôle d'observateur objectif, pas de victime terrifiée. Les guérisseurs du Crépuscule se chargeraient du reste.

Connor allait entrer dans la chambre de Justin quand Aidan sortit de celle de Stacey.

— Comment va-t-elle ? demanda Connor, le cœur serré.

— Son état est stable, mais elle n'a pas repris conscience.

Aidan se rapprocha.

— Il y a quelque chose dans son cerveau. Quelque chose de tout petit, de la taille d'un grain de riz... un corps étranger. On ne peut pas savoir comment son organisme va réagir à long terme.

Connor tendit la main pour s'appuyer au mur en inspirant longuement.

— Putain, mec...

Il fixa sur son vieil ami un regard consterné.

— On sait de quoi il s'agit ?

— Elle parle dans son sommeil...

Aidan fit la grimace.

— ... En langage ancien.

– *Quoi* ? rugit Connor en se passant une main dans les cheveux. Il faut lui retirer ce truc de la tête.

– On ne peut pas. Pas sur ce plan d'existence. Du moins pas sans la tuer. Les humains n'ont pas la technologie nécessaire.

La porte de la chambre de Stacey se rouvrit. Un homme se pencha dans le couloir.

– Elle s'est réveillée.

Connor se redressa.

– Je peux le dire à son fils ? Il peut la voir ?

– Elle est lucide.

– Dites-lui que j'arrive dans une minute, d'accord ?

Il se retourna vers Aidan.

– Je vais chercher Justin.

Aidan acquiesça et le géant s'empressa de regagner le salon.

– Hé, lança-t-il en s'approchant du canapé, ta mère s'est réveillée.

– Je peux la voir ? demanda Justin, qui se redressa et posa son mug à moitié vide sur la table basse.

– Bien sûr. Viens.

Connor l'aida à se débarrasser de ses trois ou quatre couvertures, puis l'accompagna jusqu'à la chambre de Stacey, plongée dans l'obscurité.

Ils s'approchèrent le plus discrètement possible des moniteurs qui entouraient le lit de leurs clignotements et de leurs bips rythmés. La jeune femme blottie entre les draps paraissait si petite, si fragile que le cœur de Connor se serra.

– Salut, mon poussin, murmura-t-elle à Justin en lui tendant les bras.

Il s'empressa de la rejoindre et éclata en sanglots, pendant qu'elle le serrait contre elle en pressant une joue humide de larmes sur sa tête.

La vue de Connor se brouilla, il détourna les yeux et s'aperçut enfin que son compagnon d'armes se tenait près de la porte. Quand Aidan lui fit signe de le rejoindre, il obtempéra, soulagé de passer à autre chose. La scène bouleversante qui se déroulait derrière lui lui tordait littéralement les tripes.

– Je viens de lui parler, murmura Aidan. Elle m'a dit que Rachel est décidée à récupérer un jour ce qu'elle lui a mis dans la tête. Je ne sais pas de quoi il s'agit, mais les Anciens estiment apparemment que c'est plus en sécurité chez nous que chez eux.

Connor se raidit tout entier.

– Ou alors, ils pensent qu'on le détruirait s'ils ne l'avaient pas injecté à quelqu'un qui nous est aussi précieux. Dis-moi que les hommes de McDougal ont retrouvé Rachel.

– Non, répondit Aidan d'un ton grave. Ils passent la zone au peigne fin depuis votre départ, mais ils n'en ont pas vu trace. Elle a réussi à leur échapper, malgré ses blessures.

– Putain de merde !

– Surveillez votre langage, tous les deux, lança Stacey.

Connor se retourna. Les yeux étincelants, la jeune femme lui souffla un baiser de ses lèvres pleines. À cette vue, un grondement bas, avide naquit dans la gorge de son amant.

– Je ne sais pas quoi faire, avoua-t-il à Aidan. Je ne sais plus où je devrais aller, ce que je devrais croire ou tenter.

— Fais comme moi. Laisse tomber les grandes questions et jette-toi à l'eau.

— Les choses ne sont jamais aussi simples avec les femmes.

— Je n'ai pas dit que c'était simple. Mais si tu tiens à elle, à toi de te débrouiller pour que ça marche. Ça vaut le coup, tu sais, si tu as envie d'être heureux.

Connor en avait effectivement envie... avec Stacey.

— Bon.

Il s'aperçut soudain que sa décision était prise.

— On va demander un système de sécurité aux hommes de McDougal avant qu'ils n'aient tout déménagé. Je suis sûr qu'ils ont ce qui se fait de mieux. Il faut que cette maison soit aussi protégée que Fort Knox. Je serai souvent absent, et je veux que ses occupants soient à l'abri.

— Excellente idée.

Aidan rouvrit la porte de la chambre, le sourire aux lèvres, et fit signe à Connor de passer le premier.

— On va en avoir pour notre argent.

Stacey se réveilla avec une migraine à lui broyer le crâne.

Les mains pressées contre les tempes, elle se roula sur le matelas en gémissant, mais se cogna à Justin, qui marmonna une vague protestation. Après lui avoir tout bas présenté ses excuses, elle regagna l'autre côté du lit si brusquement qu'elle tomba par terre. Un cri lui échappa quand elle atterrit à genoux, mais elle se mordit la lèvre pour retenir les suivants. Un coup d'œil au réveil lui apprit qu'il était près de trois heures du matin. Sa tête lui faisait si mal qu'elle doutait de survivre jusqu'à l'aube.

Elle parcourut deux ou trois mètres à quatre pattes puis se leva enfin – bien obligée. La fraîcheur relative du salon posa bientôt sur sa peau brûlante une caresse apaisante, mais elle ne se rappelait même pas être passée par le corridor.

– Stacey ?

La voix profonde de Connor s'enroula autour de sa colonne vertébrale puis l'enveloppa tout entière comme une coulée de miel tiède. Son soulagement fut tel qu'elle faillit retomber.

– Où es-tu ? haleta-t-elle, car elle redoutait d'ouvrir les yeux.

Le clair de lune qui se glissait entre les lattes des volets l'éblouissait, malgré ses paupières closes. Il lui semblait qu'un pic à glace lui transperçait le cerveau, et elle savait que la lumière ne ferait qu'accentuer cette impression.

– Là. Juste là.

Des bras puissants l'enveloppèrent, l'attirant contre un torse viril, nu et musclé.

– Je suis contente que tu sois resté.

– Il n'est pas question que je m'en aille, mon cœur. Je m'absenterai, c'est sûr, mais je ne partirai pas vraiment.

– J'ai mal à la tête, gémit-elle, les joues ruisselantes de larmes.

– Le médecin a laissé des médicaments. Je vais te...

– Non !

Elle se cramponna à la taille du géant, reconnaissant au toucher la ceinture d'un pantalon de jogging. À la pensée qu'il dormait sur son canapé, prêt à la protéger, Stacey se sentit plus aimée que jamais.

– Ne t'en va pas.

– Mon cœur...

Les lèvres de Connor se posèrent sur son front et la douleur s'atténua.

– Je ne supporte pas de te voir pleurer.

– Embrasse-moi encore, implora-t-elle.

Il obéit, baisant cette fois ses paupières closes et ses cils, séchant ses larmes. La palpitation qui taraudait son crâne s'adoucit.

Elle pencha la tête en arrière pour s'emparer de la bouche qui caressait sa peau. À peine y avait-elle goûté que le cours de son sang accéléra, de même que les battements de son cœur, tandis que la pression débilitante qui écrasait son cerveau s'affaiblissait.

– Stace ? murmura Connor contre ses lèvres comme elle redoublait de ferveur. Qu'est-ce que tu fais ?

– Je te veux.

Elle eut parfaitement conscience de la surprise qui envahissait le Viking, aussitôt suivie d'un désir incontrôlable.

– Tu es folle.

Il avait beau protester, ses mains s'étaient posées sur les hanches de Stacey, ses doigts se glissaient sous la chemise en coton qu'on lui avait enfilée et lui effleuraient le dos, peau contre peau. Un contact délicieux, apaisant.

Plus il se prolongeait, moins elle avait mal.

– Fais-moi l'amour, implora-t-elle.

– Mais Justin... ?

– La lingerie a une porte.

– Tu ne devrais pas...
– Maintenant, Connor !
– Et merde !
Il la souleva de terre pour l'emporter au fond de la maison, dans la lingerie, où il écarta d'un coup de pied le panier qui maintenait la porte ouverte, avant de la refermer d'une poussée. Stacey se retrouva en un clin d'œil assise sur le bureau qui lui servait de table à plier le linge, sous le regard brûlant d'un Connor enchanté, mais stupéfait.
– Et maintenant ?
Au fin fond de l'esprit de la jeune femme résonnait un couinement sonore, comme celui des pneus dérapant sur le bitume.
– Touche-moi, n'arrête pas.
Son compagnon posa les mains de chaque côté de ses hanches, l'enfermant dans une petite cellule en Connor, puis promena les lèvres dans son cou.
– Dis-moi ce que tu veux, mon cœur.
Lorsque Stacey le serra dans ses bras, ses mains se posèrent sur une peau brûlante et satinée, sous laquelle jouaient des muscles virils. Elle se sentit fondre, et un gémissement lui échappa quand il lui mordilla le lobe de l'oreille.
– Je te veux, toi.
– Tu m'as.
Il la renversa sur le bureau puis lui glissa la main entre les jambes pour la contenter. Le tissu pourtant épais du pantalon qu'elle portait toujours n'empêchait pas le Viking de donner ce qu'elle voulait à la jeune femme.
– Je reste, lui affirma-t-il. Ça va marcher.
– Oui... oui, c'est bon...

– Mmmh… acquiesça-t-il en lui ouvrant adroitement le pantalon, le bouton d'abord, la fermeture Éclair ensuite.

Le tout sans arrêter une seconde de promener ses lèvres, sa langue et ses dents sur la peau tendre de la gorge de la jeune femme et sans lâcher sa nuque. Littéralement enveloppée du grand corps puissant de Connor, Stacey sentit le vacarme s'évanouir dans sa tête… à moins qu'il n'ait été englouti par la ruée de son sang, qui battait à ses oreilles.

– Connor…

Le parfum du géant avait envahi la pièce. Une odeur à nulle autre pareille, épicée, exotique. Étrangère et fabuleuse. Elle tenait dans ses bras l'homme de ses rêves et il était à elle.

Le temps importait peu, il avait raison. Ce qui comptait, c'était ce qu'elle ressentait pour lui. Il s'était montré aussi stable qu'un rocher quand elle en avait eu besoin et elle avait l'absolue certitude qu'il en irait toujours ainsi. Parce qu'il était comme ça.

Une exclamation étouffée échappa à la jeune femme quand une main se glissa dans sa culotte.

– Comment va ta tête ? lui demanda à l'oreille une voix à l'accent chantant, aussi sensuelle que le péché et vibrante de désir.

– Je… je…

– Tu as encore mal ?

Connor l'embrassa passionnément, lui caressant les lèvres d'une langue si habile qu'elle en oublia tout, à part les sensations qu'il lui prodiguait de ses doigts experts. Lorsqu'elle s'ouvrit à eux, moite et brûlante, il poussa un grondement rauque, sauvage, venu des profondeurs de sa poitrine.

— Seigneur, gémit-elle pendant que ses yeux se refermaient, car l'index de son amant s'introduisait en elle. Prends-moi, je t'en prie ! Tout de suite !

Il l'embrassa de nouveau pour étouffer ses cris frénétiques. La main sous sa tête, il l'allongea avec douceur sur le bureau, puis lui baissa son pantalon jusqu'aux genoux, leva ses jambes jointes et se les posa sur les épaules. Quand il pressa contre elle son gland énorme, soyeux et brûlant, Stacey ne put se retenir de se cambrer avidement. Elle le voulait en elle. *Maintenant.*

— Chuuut, mon cœur... je viens, murmura Connor d'une voix rauque.

Il empoigna les deux côtés du bureau en la pénétrant d'une poussée qui arracha un cri bref à la jeune femme. Elle se cabra de plaisir, réduite par sa position à une telle étroitesse qu'il dut s'ouvrir un chemin en elle à petits coups de reins brusques, pendant qu'elle se contorsionnait pour le prendre tout entier, haletante, gémissante.

— Tu es trop gros comme ça, hoqueta-t-elle.

— Ça va aller.

Il ondula des hanches afin de s'enfoncer davantage. Avançant, reculant, s'emparant d'elle centimètre par centimètre, en une torture exquise.

Les ongles de Stacey creusèrent de minuscules croissants dans le bois lorsqu'il se mit à la caresser en dedans, à masser de son ample gland le point sensible au plus secret d'elle-même qui ne se rassasiait jamais de lui.

— Ah, mon cœur... souffla-t-il d'une voix rauque en allant et venant avec ardeur. Tu es tellement serrée dans cette position. On dirait un poing de feu. Putain, qu'est-ce que c'est bon... Je pourrais jouir avant d'arriver au fond de toi.

– Tu n'as pas intérêt !

Elle empoigna ses seins douloureux et les serra avec force.

– Je te conseille de terminer ce que tu as commencé...

– Oh, je vais terminer.

Le beau visage de Connor s'était empourpré, ses yeux assombris, son front emperlé de sueur.

– Oh que oui... Tout au fond de toi.

Seigneur, allait-elle y survivre ?

Il la menait à la frénésie en la pénétrant de plus en plus vite, de plus en plus fort. L'élastique du jogging que le géant s'était juste baissé sur les hanches frottait les cuisses de Stacey, qui trouvait la vision de ce mâle encore vêtu aussi érotique que sa propre position, puisqu'elle gisait sur le bureau impuissante, offerte au bon plaisir viril. Connor jouait des hanches, en elle, hors d'elle, lui donnait puis lui reprenait son énorme verge. Le vagin de la jeune femme se contracta à l'approche de l'orgasme.

Elle se cambra, le corps tout entier tendu par une attente ardente. Voilà ce qu'elle voulait, ce dont elle avait besoin. Être liée à lui, désirée par lui.

– Oui...

Il s'enfonça en elle davantage encore, la fessant sensuellement de ses testicules pesants. Le sexe de Stacey se resserra autour de sa gigantesque queue, pendant qu'elle admirait ses traits tendus par la passion et les boucles dorées qui retombaient sur son front, ses biceps et ses pectoraux sculpturaux. Sous sa peau dorée luisante de sueur, ses abdominaux dansaient au rythme de ses coups de reins.

– Tu es à moi, lança-t-il entre ses dents serrées. Je te garde.

Enchantée de sa possessivité, elle se laissa emporter par le plaisir, en se mordant la lèvre pour retenir les cris qui menaçaient de s'échapper de son corps crispé par l'orgasme.

Les spasmes qui la secouaient tout entière n'empêchèrent pas Connor de continuer à aller et venir de plus en plus vite, au point qu'elle finit par se demander si elle n'allait pas crier malgré tout. Seuls la proximité de sa chambre et le besoin d'intimité la contraignirent au silence.

Elle le sentit grossir encore en elle, devenir d'une dureté inouïe...

– *Stacey*... râla-t-il.

Ses hanches heurtèrent brutalement les fesses de la jeune femme, secouant le vieux bureau, ses doigts s'enfoncèrent dans la chair tendre des cuisses pressées contre son torse, sa verge palpitante libéra une coulée de chaleur qui se répandit, mais il n'arrêta pas pour autant de la prendre, de caresser le sexe qui se contractait autour du sien, de l'emplir au plus profond d'amour et de désir.

– Oh, bordel, haleta-t-il une fois son éjaculation apaisée, la joue posée contre le mollet de Stacey. Tu vas me tuer.

– Je n'ai plus mal à la tête, souffla-t-elle, hors d'haleine mais émerveillée.

– Moi, je ne sens même plus la mienne, répondit-il. Je crois qu'elle a explosé.

Stacey éclata d'un rire de pur triomphe féminin.

Connor recula pour se retirer, s'essuya avec une serviette posée non loin de là, remonta son pantalon puis essuya et rhabilla la jeune femme.

– Viens là, mon cœur, murmura-t-il avec tendresse en la soulevant dans ses bras.

– Je crois que je suis en train de tomber amoureuse de toi, avoua-t-elle timidement, cramponnée à lui. J'espère que ça ne va pas te faire flipper. J'ai un peu tendance à foncer bille en tête, et avec toi...

Les lèvres qui se posèrent sur les siennes l'empêchèrent de poursuivre.

– Vas-y, fonce, dit ensuite Connor d'une voix rauque. Je te suis.

chapitre 16

Philippe Wager fixait avec des yeux ronds les données affichées à l'écran. Son cœur battait un tempo désespéré, frénétique. Ses doigts se crispaient à en blanchir sur le bord de la console, qu'il dut se forcer à lâcher. Il repoussa sa chaise en arrière et se leva.

– Merde, murmura-t-il, pendant que son cerveau luttait pour intégrer l'information qu'il venait de dénicher. Ce n'est pas possible.

– Il semblerait que si, chuchota une voix derrière lui.

Il fit volte-face et se crispa en son for intérieur à la vue de l'intrus. Son glaive se trouvait derrière lui, hors d'atteinte, le laissant à la merci de celui dont la pointe menaçait sa poitrine.

– Ancien Sheron...

Le rebelle scrutait le corridor souterrain, derrière le visiteur indésirable, à la recherche d'une issue ou d'une aide quelconques, mais rien de tel ne s'y trouvait.

– Wager, répondit Sheron d'un ton tranquille.

– Comment êtes-vous entré ?

— J'entre où je veux. Je suis étranger à la construction du Crépuscule, mais c'est moi qui réalise depuis des siècles toutes les améliorations et mises à jour de la matrice.

Le cœur de Philippe rata un battement dans sa poitrine lorsqu'il songea aux connaissances inouïes de l'intrus.

— Je vois que tu as conscience des possibilités que ça offre, poursuivit Sheron avec la fierté d'un mentor. La plupart des Anciens préfèrent se concentrer sur la rédaction des règles, qu'ils considèrent comme la base de notre autorité, mais en réalité, notre pouvoir repose évidemment sur l'existence du Crépuscule. Voilà pourquoi j'ai décidé d'en apprendre le maximum sur notre monde. La tâche à laquelle je me suis attelé était la moins intéressante aux yeux de mes collègues, ce qui m'a permis de n'en faire qu'à ma tête.

— C'est vous qui avez introduit le virus.

Des centaines de questions se pressaient dans l'esprit de Philippe, mais il s'agissait là d'une affirmation.

— Oui, et j'ai toujours su que tu finirais par le trouver. J'ai essayé de te supprimer, mais mes pairs n'ont pas voulu en entendre parler. Ils ignoraient pourquoi j'y tenais tellement, vois-tu. Pour eux, retarder ton avancement était une punition suffisante aux infractions que tu commettais – et que j'exagérais, évidemment.

L'Ancien agita une main dédaigneuse.

— Comme tu n'avais pas accès à l'équipement requis pour me débusquer, j'ai laissé les choses suivre leur cours. Même si je savais qu'un jour on en arriverait là.

– Que cherchez-vous à faire ? demanda Philippe en reculant en direction de son glaive, posé sur une table, dans un coin. Vous avez dû peaufiner votre plan pendant des siècles.

Sheron repoussa son capuchon en arrière, dévoilant un sourire effrayant.

– En effet. Ce qui explique que je ne puisse te laisser le ruiner. J'ai passé une éternité à attendre mon heure, en déplaçant lentement mais sûrement mes pions sur l'échiquier. Tu n'imagines pas la patience qu'il m'a fallu. Je suis si proche à présent. Mais il te suffit d'un instant pour tout gâcher.

– Expliquez-moi ce que vous préparez, l'encouragea Philip en continuant à reculer, dans l'espoir de se rapprocher assez de son glaive pour s'en emparer et se défendre. Je peux vous aider.

– Tu pars du principe que je suis poussé par l'altruisme et que tu aurais envie de m'aider. Ou peut-être essayes-tu de me distraire pour ne pas que je remarque que tu te diriges vers ton arme ?

Philippe se figea puis haussa les épaules. Sheron se mit à rire.

– Si ça peut te consoler, sache que ton sacrifice servira un bien supérieur.

– Vraiment ? riposta Philippe d'un ton traînant. Moi qui croyais que vous vouliez juste m'empêcher de raconter au monde entier que vous avez une fille à demi mortelle.

– Aussi. Nous ne sommes que deux à le savoir, ce qui en fait un de trop.

– Elle fréquente un Gardien.

Peut-être avait-il l'esprit tordu, mais les possibilités inhérentes à une union pareille étaient aux yeux de Philippe aussi terrifiantes qu'intéressantes.

– C'était prévu depuis le début ?

Sheron assura sa prise sur la poignée de son glaive.

– Mes excuses, lieutenant, mais le temps presse. Je suis dans l'obligation de te tuer maintenant. Il m'est impossible de rester à discuter avec toi.

Philippe plia les jambes, en alerte.

L'Ancien porta un coup fatal...

chapitre 17

Alors que la voiture s'approchait de sa maison, Stacey leva le pied pour jouir à distance de la contemplation de sa famille. La lumière du soleil couchant transformait Connor en un dieu doré, au dos luisant de sueur et aux biceps saillants, car il était entrain de visser la barrière de bois blanc qui remplaçait désormais l'ancienne clôture.

Celle-ci, Stacey l'avait pensé à la seconde même où l'agent immobilier lui avait montré la propriété, nuisait au charme suranné de la maison. Et Connor connaissait assez la jeune femme pour entamer la transformation par surprise pendant qu'elle était au travail, ce qu'il avait donc fait la veille. Mais à vrai dire, il était coutumier de ce genre de choses : il devinait ce dont elle avait envie et mettait tout en œuvre pour le lui donner. C'était une des nombreuses, très nombreuses qualités qu'elle aimait chez lui.

Justin arriva à cet instant précis, également torse nu, et tendit une autre vis à Connor, qui en échange lui passa la perceuse. Stacey regarda l'amant de ses rêves affubler son fils de lunettes de sécurité, puis lui montrer comment utiliser la perceuse électrique, le tout avec une patience infinie. Justin s'occupa seul du reste de la planche, puis recula pour admirer son œuvre, ses traits juvéniles métamorphosés par la fierté.

Le cœur de Stacey se serra, débordant d'amour. Ses yeux s'emplirent de larmes, elle renifla, prit un mouchoir en papier puis se força à respirer lentement, profondément : il suffisait qu'elle se laisse emporter par l'émotion pour saigner du nez, et cet effet secondaire de l'intrusion mentale avait tendance à inquiéter Connor.

Comme s'il avait senti le poids de son regard, il leva la tête, s'aperçut de son arrivée et agita la main, un grand sourire aux lèvres. Reprenant son calme, elle donna un dernier coup d'accélérateur avant de s'engager dans l'allée, où elle coupa le moteur. Elle n'avait pas encore retiré la clé de contact que Connor ouvrait sa portière pour l'aider à mettre pied à terre.

– Tu m'as manqué, gronda-t-il en l'attirant à lui avec la force requise pour la plaquer contre son torse. Et j'aime bien cette blouse.

Stacey se mit à rire. Il faisait l'idiot, mais elle en était ravie, car elle se sentait elle-même un peu dingue… Et elle trouvait fabuleux de partager la vie d'un homme qui aimait cette facette de sa personnalité.

– Tu dis ça de toutes mes blouses.

– Oui, mais celle-là, c'est ma préférée. Elle est trop sexy.

La jeune femme baissa les yeux vers sa tenue, le front plissé.

– Si vraiment tu trouves deux chiens de dessin animé sexy, j'ai un gros, gros problème de fringues.

– Ah, mais regarde comment Mme Chien bat de ses longs cils en regardant M. Chien. C'est d'un romantique...

Elle secoua la tête en relevant les yeux, heureuse de la chaleur affectueuse dont il l'enveloppait.

– Tu trouves le romantisme sexy ?

– Bien sûr.

Connor la gratifia d'un baiser ardent mais rapide puis s'écarta d'elle, les yeux assombris par le désir.

– Je ne peux rien faire de plus quand Justin traîne dans le coin. Il dit qu'il se sent bizarre rien que quand je t'embrasse.

– Ce soir, tu es à moi, répondit-elle en lui claquant les fesses.

– Tu es à moi.

Il lui attrapa la main et la tira vers la maison.

– Viens, j'ai quelque chose à te montrer.

– Ah bon ?

Chaque fois qu'il lui « montrait » quelque chose, elle en perdait la tête. Il voyageait beaucoup, à la recherche des artefacts, mais pensait toujours à elle pendant ses déplacements. Elle le savait, parce qu'il l'appelait souvent et lui rapportait d'innombrables cadeaux, qu'il s'arrangeait pour lui donner au compte-gouttes lors de leurs courtes, trop courtes périodes de vie commune. Jamais elle n'aurait eu cette patience, mais elle devait bien admettre que c'était cent fois plus agréable comme ça.

Connor l'entraîna dans le salon, puis la chambre, dont il referma la porte.

– Et Justin ? demanda-t-elle, malgré la chaleur qui l'envahissait.

La conception «connorienne» d'une petite partie de jambes en l'air avait de quoi faire passer n'importe quel autre homme pour impuissant, si persuadé soit-il de sa virilité. Un jour, alors qu'ils partaient pour l'aéroport, Connor avait décidé qu'il voulait dire au revoir à Stacey intimement... *une fois de plus*. Il s'était débarrassé en trente secondes chrono de son sac, de son pantalon et de celui de la jeune femme, et cinq minutes plus tard, elle poussait des cris de plaisir étouffés par les coussins du canapé, sur lequel il la prenait en levrette avec une ardeur farouche.

– Il m'attend, affirma-t-il en la gratifiant d'un sourire qui lui contracta l'estomac. On finit ce côté-là avant la nuit.

Après avoir jeté sur le lit les clés et le sac à main de Stacey, il attrapa sa blouse par le bas pour la lui enlever d'un grand geste puis se jeta aussitôt dans la vallée délimitée par ses seins, où il enfouit le nez.

– Mmmh... lança-t-il d'une voix étouffée. Tu sens bon.

– Tu es fou.

– Je suis sérieux.

Il releva la tête et lui sourit.

– Ta tarte aux pommes et toi... Il n'y a pas de meilleur parfum dans ce monde puant.

Elle passa en riant la main dans les épais cheveux blonds de son admirateur.

– Le monde ne pue pas.

– Tu crois vraiment que je vais gober un mensonge pareil ?

Il lui descendit son pantalon, puis prit le temps d'admirer le spectacle pendant qu'elle ôtait ses espadrilles.

– *Ça*, c'est sexy.

– Plus que des chiens de dessin animé ? demanda-t-elle en battant de ses longs cils.

Elle était en forme, ces temps-ci, entre l'exercice qu'il lui imposait par sa présence et le soin qu'elle prenait d'elle-même en son absence. Elle avait beau lui faire confiance et savoir qu'il l'aimait de tout son grand cœur, elle avait beau voir la preuve de son désir contenu et de son ardeur dans ses yeux dès qu'ils se posaient sur elle à l'aéroport, elle n'oubliait pas sa beauté surhumaine. Elle le trouvait magnifique ; le moins qu'elle pût faire, c'était d'essayer de l'être aussi pour lui.

– Peut-être, répondit-il avec un haussement d'épaules malicieux.

Elle fit mine d'en rester bouche bée d'indignation pendant qu'il dégrafait son soutien-gorge.

– OK...

L'accent de Connor s'accentua encore à la vue de ses seins nus.

– *Ça*, c'est définitivement mieux que des chiens de dessin animé.

– Je suppose que je peux m'estimer heureuse.

– Attends d'avoir vu ce que je veux te montrer.

Il s'accroupit, descendit sa culotte, posa un baiser sur sa toison bouclée puis se redressa.

– Viens.

La main au creux de ses reins, il la poussa vers la salle de bains, où elle découvrit un jacuzzi flambant neuf plein d'une eau fumante et entouré de bougies intactes. Une desserte attendait juste à côté, chargée d'un vase de lys Stargazer, ses fleurs préférées, et d'une boîte de chocolats effrontément ouverte.

– Génial ! souffla Stacey en se demandant quel jour on était et en cherchant à se rappeler s'il s'agissait d'un anniversaire quelconque ou d'une occasion spéciale.

Une pointe de douleur lui traversa la tête, la persuadant aussitôt de renoncer à se poser des questions. Ce n'était pas le moment de se mettre à saigner du nez.

Le cerveau humain ne pouvait manifestement renfermer qu'une quantité d'informations limitée sans risquer l'implosion. Heureusement, on gardait l'œil sur elle depuis le Crépuscule. Le lieutenant Wager l'avait poussée à s'écrire en somnambule un petit mot, une nuit où Connor était absent.

J'y travaille, disait-il. *Un peu de patience.*

P. S. Ouah ! Il y en a des choses intéressantes, là-dedans.

Enfin peu importe. Quoi qu'il en soit, Stacey tirait un grand réconfort de la pensée que quelqu'un se penchait sur son cas, décidé à l'aider. Qu'aurait-elle fait sans Wager ? Connor serait devenu fou à force d'essayer d'arranger les choses, alors qu'il n'y pouvait rien. Les informations accumulées pendant des siècles puis logées dans son crâne lui avaient au moins appris ça. Il fallait les ressortir de sa tête d'une manière ou d'une autre, et seule l'Élite du Crépuscule disposait de la technologie nécessaire.

– Ça te plaît ? demanda Connor, rayonnant.

– Ça me plaît, confirma-t-elle en se retournant et en se haussant sur la pointe des pieds pour l'embrasser. Qu'est-ce qu'on fête ?

– Le fameux quelque chose.

– Ce n'est pas le bain ?

– Non.

Il la prit par la main, l'aida à s'installer dans la baignoire puis, quand elle se fut immergée avec un soupir de plaisir, s'empara du briquet posé sur la desserte pour allumer les bougies.

– À tout à l'heure, conclut-il en lui effleurant le front d'un baiser.

Après son départ, Stacey resta un moment tranquillement allongée dans l'eau à se demander ce qu'il mijotait. Elle laissa son regard errer autour du jacuzzi, le cœur à la fois léger et gonflé de joie, puis tendit la main vers les chocolats. Et se figea en s'apercevant que la boîte était posée sur une chemise en carton qu'elle dissimulait presque. Prise de curiosité, Stacey dégagea la chemise et l'ouvrit.

Dossier de mariage.

Le choc la paralysa littéralement.

Les papiers relatifs au fiancé étaient tous là, remplis avec soin.

Elle expira lentement, prudemment, puis sentit un immense sourire lui monter aux lèvres. Peut-être certaines femmes rêvaient-elles de déclarations romantiques, de smoking, de grands gestes théâtraux, mais celle de son amant lui convenait parfaitement parce qu'elle venait du cœur. Connor avait du mal à exprimer ses sentiments par les mots... ce qui ne l'empêchait pas de montrer ce qu'il ressentait. Avant lui, Stacey avait passé sa vie avec des hommes sans substance, au discours lénifiant ; elle était ravie de la partager maintenant avec quelqu'un qui lui donnait plus, beaucoup plus que de belles phrases dépourvues de sens.

Un grondement bas s'éleva sur la véranda – la voix de Connor, qui expliquait probablement quelque chose à Justin. Il aimait jouer les professeurs et le faisait à merveille, ce qui surprenait toujours Stacey. Sans doute y était-il prédisposé par sa prévenance. Il avait beau dire et répéter qu'il était tout en muscles, elle pensait quant à elle qu'il était tout en cœur.

La jeune femme reposa le dossier avec soin en poussant un soupir de plaisir et se lança dans les préparatifs de la longue nuit d'amour qui l'attendait.

– Ce sourire rêveur signifie-t-il bien ce que je crois ?

Elle releva la tête. Connor la regardait, appuyé au chambranle de la porte, les cheveux humides, un drap de bain autour des hanches. Cette image rappela à Stacey leur première soirée ensemble. Son pouls s'accéléra. Elle adorait qu'il la désire au point de ne pouvoir attendre une minute pour s'enfouir en elle, et vu la manière dont sa verge tendait le tissu éponge, il ne devait pas en être loin.

– Ce dossier signifie-t-il bien ce que je crois ? répondit-elle avec un sourire provocateur.

– Si tu crois qu'il signifie que je t'aime et que je veux te faire mienne de toutes les manières possibles et imaginables, oui. Tu as entièrement raison.

– Viens ici.

La note haletante qui s'était glissée dans la voix de Stacey ne laissait aucun doute sur ses intentions. Elle n'y pouvait rien : chaque fois qu'il disait qu'il l'aimait, l'instinct la poussait à s'enrouler autour de lui, à se jeter dans ses bras et le serrer dans les siens. Elle mourait d'envie d'admirer son corps superbe dans l'effort, pendant qu'il la prenait avec fougue.

– Il est déjà neuf heures ? ajouta-t-elle.

Le sourire sensuel qui s'épanouit lentement sur les lèvres de son compagnon fit naître un frisson au creux du ventre de la jeune femme.

– Non, mais Aidan et Lyssa viennent de partir avec Justin. Il dort chez eux.

Connor arracha la serviette d'un geste vif et la laissa tomber à ses pieds, dévoilant sa verge majestueuse.

– À neuf heures, tu me supplieras de t'accorder un instant de répit.

– Ah oui ?

Tout en le regardant approcher, elle s'humecta les lèvres et se mit à genoux.

– Oh oui, acquiesça-t-il, penché vers l'interrupteur qui déclenchait les jets d'eau.

Quand il avait emménagé chez Stacey, ils avaient modifié la salle de bains pour l'adapter à sa taille. Les antiquités qu'il avait vendues à McDougal leur avaient rapporté un pécule confortable, grâce auquel ils auraient pu s'offrir une demeure plus vaste, plus moderne, mais ils n'en avaient envie ni l'un ni l'autre. Ils préféraient bichonner leur maison de poupée.

Connor entra dans la baignoire, mais au moment où il allait s'asseoir, Stacey l'en empêcha :

– Attends...

Il se figea et sa queue se tendit de plus belle, car il savait à quoi elle pensait...

– Mon cœur...

Les mamelons de la jeune femme durcirent à la note douloureusement ardente qui s'était glissée dans la voix de son amant. Il *aimait* qu'elle le suce, et il aimait ça de telle manière qu'elle l'aimait aussi.

Avec *lui*. C'était si excitant pour elle qu'elle se sentait fondre.

Ses mains ruisselantes se refermèrent sur l'énorme érection palpitante, qu'elle attira jusqu'à ses lèvres. Lorsque le bout de sa langue caressa le minuscule méat du gland dévoilé, Connor frissonna de tout son corps.

– Stace, haleta-t-il, tandis que ses mains s'enfonçaient dans les cheveux mouillés de sa compagne. Tu me tues.

– Heureusement que tu es immortel, hein ? plaisanta-t-elle

Le sourire de pure malice qui accompagnait sa réponse disparut quand elle ouvrit la bouche pour y introduire l'extrémité de la verge colossale, dont elle titilla le point sensible d'une langue frétillante. Les cuisses puissantes de son amant frémirent, pendant qu'elle lui caressait les fesses de sa main libre.

– Oui, souffla-t-il, les hanches animées d'un balancement léger. Tu es brûlante... quand tu me suces...

Il la couvrait de compliments et lui caressait la tête avec tendresse, même au plus fort de la passion, pour le plus grand plaisir de Stacey. Elle redoubla d'efforts afin de lui donner du plaisir, l'aspirant avec avidité, les doigts crispés sur les muscles fermes de son derrière. Bientôt, elle promenait les lèvres sur toute sa longue queue palpitante, attentive aux râles gutturaux et aux gémissements révélateurs que le géant laissait échapper, le prenant le plus loin possible jusqu'au fond de la gorge.

– Putain... C'est trop bon, Stace, trop bon...

Elle recula sur sa verge dressée, promena la langue autour de son gland lubrifié, puis caressa une fois de plus toute la longueur de son érection en suivant le trajet de ses veines palpitantes, avant d'empoigner ses testicules pesants et de les malaxer en douceur, tendrement.

Quand elle se mit à lui masser le périnée d'un doigt tendu, Connor lâcha une exclamation étouffée, puis un juron, et son sexe gonfla encore. Stacey gémit de plaisir, la chatte inondée et brûlante du seul fait d'imaginer cette énorme verge plongée en elle.

– Je vais jouir, haleta Connor, qui allait et venait maintenant dans sa bouche presque malgré lui, en se tenant la base de la queue pour éviter d'aller trop profond.

Elle aurait pu arrêter de le sucer, il l'aurait pénétrée et chevauchée jusqu'à l'orgasme sans songer à se plaindre, car il adorait ça aussi, mais elle avait envie de terminer ce qu'elle avait commencé. De le sentir exploser comme il ne le faisait que quand il ne se concentrait pas sur son plaisir à elle. Aussi ronronna-t-elle un encouragement approbateur, auquel il répondit par un grondement bas.

– C'est ça... suce-moi, mon cœur, fais-moi jouir, râla-t-il avec son accent chantant. Ça vient... *oh, merde*... oui, oui... *Stace !*

Il éjacula violemment, en poussant un cri rauque qui emplit la salle de bains d'une musique sensuelle dont Stacey ne se lassait pas, s'écarta brusquement d'elle et la redressa d'un geste vif. Une giclée de sperme se répandit sur ses seins, mais déjà il la poussait contre le bord de la baignoire et s'engouffrait dans son sexe aux contractions affamées.

Un cri de plaisir stupéfait échappa à la jeune femme quand elle sentit l'énorme pénis palpiter en elle, une sensation tout simplement délicieuse. Connor l'enveloppa de son grand corps, lui pressant son front suant au creux du cou.

– Je t'aime.

– Connor, répondit-elle en l'entourant de ses bras pour le serrer contre elle, moi aussi je t'aime, bébé.

Il tressaillit, puis une vibration profonde s'empara de lui car il éclatait de rire.

– J'ai des siècles de plus que toi, mon cœur.

– Des mots, rien que des mots, murmura-t-elle en se passant la langue sur les lèvres, où subsistait son arôme.

– J'ai beaucoup appris pendant ma longue existence, ronronna-t-il en ondulant des hanches.

Elle poussa un autre petit cri, tandis que des vagues de chaleur pure montaient du point sensible qu'il caressait en elle.

– Ça, par exemple.

Il se retira puis la pénétra de nouveau, brièvement. Se retira encore, puis la pénétra très profondément. Elle se cambra, mais glissa sur le bord mouillé de la baignoire, contre lequel il la plaqua à deux mains, un grand sourire aux lèvres.

– Tu aimes ?

Il allait et venait à longues poussées d'autant plus étourdissantes qu'il concentrait le frottement à l'endroit idéal pour faire perdre la tête à sa partenaire. Sa queue dure comme l'acier, démesurée et brûlante marquait littéralement Stacey au fer rouge, car l'orgasme ne l'avait pas réduite d'un centimètre. Il possédait une vigueur extraordinaire mais, heureusement, il avait trouvé une femme à sa hauteur, capable de prendre tout ce qu'il lui donnait, voire davantage...

– Plus fort! ordonna-t-elle en lui plongeant les ongles dans la peau.

– Tu es tellement étroite... Je ne crois pas que tu puisses me prendre en entier, répondit-il avec un sourire de pure satisfaction masculine.

Stacey contracta ses muscles internes, pour le plaisir de voir les yeux de Connor s'assombrir et ses joues s'empourprer.

– Je peux te prendre, mon grand.

Il la fit reculer, puis posa les mains sur ses hanches.

– C'est dur de trouver un bon appui, dans une baignoire pleine de bulles.

– Excuse, excuse.

Penchée en arrière, Stacey noua ses jambes autour des hanches du géant.

– Heureusement que je me suis entraînée.

Sur ces mots, elle banda les muscles de ses cuisses et décolla les fesses du bord de la baignoire pour remonter le long de la verge engorgée.

– Putain, souffla Connor, dont les abdominaux se nouaient. Qu'est-ce que c'est bon...

– Je veux jouir, prévint-elle, boudeuse.

– Vos désirs sont des ordres, princesse.

Il glissa la main entre leurs deux corps, lui posa le pouce sur le clitoris puis reprit ses va-et-vient, lents et superficiels cette fois, en la massant, la caressant.

– Oui, râla-t-elle, enivrée par l'impression exquise de s'étirer autour de lui. Oh, Seigneur, oui!

Quand l'orgasme la souleva tout entière, il lui chuchota comme toujours des compliments excitants qui le prolongèrent encore.

– C'est magnifique. Ta délicieuse petite chatte m'aspire littéralement, alors que je suis énorme.

Il continuait à la caresser, malgré les spasmes qui la secouaient.

– Je vais t'emmener au lit pour te prendre à ma façon. Fort et profond.

– Oui, sanglota-t-elle, cramponnée à lui, perdue dans un plaisir infini.

Elle se retrouva en effet sur le lit sans savoir comment, car elle se rappelait juste s'être serrée contre un torse musclé, dans lequel un cœur puissant battait à son oreille. Une fraîcheur soyeuse avait ensuite accueilli son dos humide, car une jonchée de pétales de rose recouvrait le matelas.

– Je veux t'épouser, dit Connor en lui glissant au doigt une antique bague avec une émeraude. Laisse-moi t'aimer à jamais.

– Oui ! râla Stacey, tandis qu'il la pénétrait.

Les rendant plus forts.

Les unissant.

CHOZUYA: Fontaine située à l'entrée du *jinga* (temple shinto). Elle est destinée aux ablutions des visiteurs avant toute visite.

HAIDEN: Seul bâtiment accessible à tous dans les sanctuaires shinto.

HONDEN: Bâtiment le plus sacré du temple, il est en général interdit au public.

JINGA: Ensemble des bâtiments du temple.

SHOJI: Paroi ou porte en papier de riz translucide montée sur une trame de bois qui, dans l'architecture japonaise traditionnelle, permet d'économiser de l'espace par rapport aux portes à battants. Elle coulisse ou se replie à moitié.

TAI-CHI (ou *tai-chi-chuan*)*:* Art martial chinois qui se pratique à mains nues. Il en existe différents styles, mais le principal fut créé par la famille Chen au XIXe siècle et repris ensuite par la famille Yang. Cet art martial privilégie la relaxation, l'absence de tension musculaire, se distinguant ainsi des sports de combat plus durs où les efforts musculaires sont plus intenses.

TORII: Portail d'accès traditionnel des temples shintoïstes, le *torii* signale la présence d'un lieu sacré. C'est donc une sorte de sas entre le monde terrestre et le monde divin.

Biographie de l'auteure

Auteure de romans érotiques à succès, Sylvia Day est l'une des maîtresses du genre. Sa formation de linguiste spécialiste du russe l'a d'abord amenée à travailler pour les services de renseignements de l'armée américaine. Ses livres lui ont valu de nombreuses récompenses. Très appréciés des lecteurs, ils sont souvent qualifiés de « merveilleux et passionnés », ou comparés à des « étoiles scintillantes », et figurent régulièrement en tête de liste des envies de lecture.

Pour en savoir plus sur Sylvia Day, rendez-vous sur son site officiel : www.SylviaDay.com

Pour approfondir vos connaissances sur l'univers des Gardiens des rêves : www.DreamGuardians.com

conception
réalisation
mise en page
pca
44405 Rezé cedex

Imprimé en Espagne

Dépôt légal : avril 2014
ISBN 13 : 978-2-7499-2201-0
LAF 1844